AU PAYS DES MERVEILLES

Les plus beaux sites naturels de France

FRÉDÉRIQUE ROGER • FABRICE MILOCHAU

AU PAYS DES MERVEILLES

Les plus beaux sites naturels de France

ÉDITIONS FRANCE LOISIRS

SOMMAIRE

Peut-être vous êtes-vous déjà surpris à rêver de ces contrées lointaines, extraordinaires, que la nature semble avoir gâtées tout particulièrement. Des canyons rougeoyants du Colorado aux exubérantes vallées inca, en passant par les sables immaculés des Maldives, tout ou presque semble là-bas bien plus éblouissant qu'ici... Comment notre douce France pourrait-elle rivaliser avec le grandiose de ces décors exotiques que seule une élite de voyageurs peut se permettre de visiter ?

Et si l'incroyable se produisait, si ces paysages de cartes postales étaient sur le pas de votre porte, là, tout près, à peine dissimulés par quelque feuillage, blottis au creux d'un vallon voisin, reposant dans un écrin de roches presque familières ?

La célèbre Alice n'eut qu'à s'endormir pour rejoindre son monde enchanté ; il vous faudra vous éveiller, au contraire, pour rallier un autre pays magique. Celui d'une nature insoupçonnée, insolite, majestueuse, au cœur même de l'Hexagone. Bienvenue en France, bienvenue au Pays des Merveilles...

L'histoire géologique et climatique de ce pays que nous croyons connaître par cœur a façonné des chefs-d'œuvre ; mille et une merveilles sculptées par l'eau, la glace, les vents ou les volcans, forces tita-

nesques capables du pire et souvent du meilleur. La France est un modèle de diversité : microclimats, mers chaudes et froides, montagnes effilées ou dociles, plaines, forêts, hauts plateaux, fleuves, rivières, lacs, marais, roches dures ou friables… tous ces éléments se marient en d'innombrables combinaisons naturelles. Sur un peu plus de 550 000 km^2 est en fait concentré l'essentiel des paysages européens, mais aussi des curiosités que l'on imagine réservées à d'autres continents.

Nous vous invitons à découvrir ces lieux magnifiques, éparpillés dans nos régions, chargés des mythes et des histoires de nos campagnes. Le diable, l'enfer, les fées ou les chevaliers y sont souvent associés ; à l'évidence, de si fantastiques endroits ne pouvaient qu'être le fruit de forces mystiques ou malfaisantes. On craignait jadis de s'y aventurer, redoutant qu'un mauvais sort s'abatte sur l'insolent témoin ; un lutin vous y changeait en pierre, un loup vous y attaquait, une naïade vous y retenait prisonnier… C'était le prix à payer pour avoir contemplé de si prodigieux spectacles.

Aujourd'hui, plus rien ne vous empêche de visiter ces merveilles. Elles vous attendent avec bienveillance et ne demandent qu'à être respectées pour ce qu'elles sont : le témoignage vivant d'une nature toute-puissante, à quelques kilomètres de chez vous.

CASCADE DU NIDECK
Un décor amazonien

Ce site s'inscrit dans la région des Ballons des Vosges, vaste ensemble granitique cristallisé dans une poche magmatique du manteau terrestre il y a 550 millions d'années environ.

Cette chute d'une vingtaine de mètres de hauteur plonge la forêt alsacienne de Haslach dans une ambiance particulièrement dépaysante. C'est à droite de la route forestière qu'un premier chemin (GR 34), discrètement indiqué à côté d'un restaurant, mène en 20 minutes au pied de la cascade. Pratiquement sans dénivelé, il est abordable à tous les âges, ce qui n'est pas le cas du second, accessible plus en amont, au niveau d'un petit parking. La descente y est rapide et agréable, mais la remontée plutôt pénible. De part et d'autre, l'approche se fait à l'ombre des chênes et des sapins vosgiens pour aboutir à une chute d'eau modeste par sa taille mais séduisante par son allure. Le granite sombre y façonne de multiples rebonds où les eaux du Nideck s'écoulent en cascatelles immaculées.

Si vous poursuivez par la D 218 jusqu'à Saverne, nous vous conseillons un arrêt au jardin botanique. Créé au XVIIe siècle, il fait partie des plus anciens de France et regroupe près de 1600 espèces végétales.

· SITUATION ·
A Oberhaslach, à 20 km à l'ouest
de Molsheim.

———

· ACCÈS ·
Par la N 420 depuis Strasbourg
jusqu'à Urmatt – D 218 vers Oberhaslach
puis Wangenbourg.

———

Visite libre toute l'année.

———

· CHEMINS BALISÉS ·
Deux itinéraires possibles, balisés en jaune
puis rouge ; remontée difficile pour
le premier, le deuxième est accessible à tous.
Prévoir 1 heure aller-retour.

GRAND STEINBERG

Un navire de grès rouge échoué en forêt vosgienne

· SITUATION ·
A Waldeck près de Éguelshardt,
à 10 km au sud de Bitche.

· ACCÈS ·
Par l'autoroute A 4, sortie Sarreguemines
N 62 direction Haguenau
jusqu'à Éguelshardt – D 162f
vers Waldeck et l'étang de Hanau.

Visite libre toute l'année.

· CHEMINS BALISÉS ·
Croix bleues notées « Le Falkenstein »
puis itinéraire N° 3 « Le Falkenstein
par Le Steinberg ». Accessible à tous.
Prévoir 1 heure aller-retour.

Ne vous attendez pas à voir son nom sur des panneaux aux quatre coins de la forêt de Hanau, le Grand Steinberg est bien plus modeste que ça. Pourtant, ses allures à la fois robustes et délicates en font l'un des plus beaux sites de Lorraine. Les rochers de ce type sont nombreux dans cette région dite des Vosges gréseuses, mais il demeure l'un des plus faciles d'accès et des mieux balisés.

Le début du sentier se situe sur la droite de la petite route forestière menant au Camping de l'étang de Hanau. Après une agréable promenade sur l'itinéraire forestier N° 3, les hautes falaises rougeoyantes apparaissent sur la gauche, en amont d'un large lacet, telles un gigantesque cargo échoué sur le sable depuis des millénaires. A vrai dire, la réalité n'est pas si lointaine de cette métaphore, puisque le Grand Steinberg résulte d'un dépôt de sable continental au fond de la mer du jurassique. Si vous disposez de suffisamment de temps, nous vous conseillons de rejoindre Waldeck et son Arche d'Erbenfelsen, admirable arche naturelle classée au patrimoine mondial de l'UNESCO pour son unicité et sa splendeur.

Tassé et oxydé par l'action du temps, le sable, déposé là il y a près de 200 millions d'années, s'est aujourd'hui mué en falaises de grès rouge, ornées par le vent d'un foisonnement d'alvéoles.

· SITUATION ·
A Muhlbach-sur-Munster, à 10 km
au sud-ouest de Munster.

———

· ACCÈS ·
Par la D 417 depuis Colmar vers Munster
D 10 depuis Munster vers Muhlbach-sur-Munster
D 310 vers la station de Gascheney.

———

Visite libre toute l'année.

———

· CHEMINS BALISÉS ·
Sentier (GR 5) relativement facile, 170 mètres de dénivelé.
Prévoir 1 heure 30 aller-retour.

ALSACE-LORRAINE – HAUT-RHIN 68

LAC DE FISCHBOEDLÉ

Un havre de paix au milieu des sapins

Un lac artificiel malgré les apparences, qui s'étend sur un demi-hectare dans la plus grande vallée des Vosges, à une altitude de 790 mètres, dans un cadre qui inspire quiétude et sérénité.

Baigné entre le vert sapin de la forêt vosgienne et le gris souris du minéral, ce petit lac de montagne est l'un des plus séduisants de la région. Les bons marcheurs y accèderont par le GR 5 depuis la station de Gashney, les autres emprunteront la petite route forestière s'échappant sur la gauche de la D 310 avant d'arriver à la station (suivre les panneaux du ranch). Cette route mène à une auberge située sur les rives du lac de Schiessrothried, autre excellent point de départ de cette randonnée. Le sentier est alors bien marqué, il franchit ce premier lac et se poursuit sur la gauche, descendant en lacets le long du torrent du Wasserfelsen.

Après ce cheminement en sous-bois, le lac de Fischboedlé apparaît dans une dépression glaciaire quasi-circulaire. Ses eaux calmes se font miroir d'une nature sauvage et préservée : une somptueuse forêt, un impressionnant chaos rocheux… Devant ce cadre admirable de naturel, qui penserait que le lac de Fischboedlé est artificiel ? Il a pourtant été créé en 1850 par un industriel de Munster pour la pêche à la truite. En redescendant de la montagne, empruntez les fameuses routes des vins et du munster. La première relie Thann à Colmar et la seconde le col de la Schlucht à Munster.

· SITUATION ·
A Larrau, à 40 km au sud-ouest
d'Oloron-Sainte-Marie.

———

· ACCÈS ·
Par l'autoroute A 64, sortie Salies-de-Béarn (7)
D 430 jusqu'à Salies-de-Béarn
D 933 jusqu'à Sauveterre-de-Béarn
D 11 jusqu'à Mauléon-Licharre
D 918 jusqu'à Tardets-Sorholus
D 26 jusqu'à Larrau.

———

Visite libre toute l'année ;
attention aux périodes de vive eau.

———

· CHEMINS BALISÉS ·
Départ du GR 10 au niveau
de l'Auberge Logibar. Longue montée,
passerelle vertigineuse au-dessus
du Canyon d'Holçarté.
Prévoir 2 heures 30
aller-retour.

CANYONS D'HOLÇARTÉ ET D'OLHADUBI

Les plus vertigineux canyons du Béarn

Dans cette vallée basque la vigueur des eaux fait montre d'un charme exceptionnel. Sur le chemin encaissé qui longe les eaux de l'Olhadubi, impossible d'imaginer ce qui vous attend sur le plateau. Les amoureux de sensations fortes seront comblés : une passerelle flottante qui domine des gorges de près de 200 mètres de haut ! L'ouvrage paraît robuste mais tangue tout de même au moindre pas et ce n'est pas la pancarte « Traversée à vos risques et périls » qui rassurera les plus hésitants ! Personnes sujettes au vertige s'abstenir.

Les pentes montagneuses de la Soule, la plus petite province basque française, sont partout ailleurs le domaine des pâturages : ces canyons apparaissent comme de réelles déchirures.

Le site illustre toute la puissance des Pyrénées qui se sont mises en place il y a 50 millions d'années, lors de la confrontation tectonique de la péninsule ibérique et du Sud de la France.

Une promenade qui réserve bien des surprises et qui ravira les amoureux de l'extrême, dans un site sublime à des dizaines de mètres au dessus du sol.

· SITUATION ·

A Léon, à 30 km au nord-ouest de Dax.

· ACCÈS ·

Par la D 16 depuis Dax vers Léon
D 652 depuis Léon vers Moliets-et-Maa
D 328 jusqu'au Pont de Pichelebe.

Visite libre toute l'année.

· CHEMINS BALISÉS ·

Suivre les panonceaux du circuit VTT
au départ du Pont de Pichelebe ;
découverte en barque depuis l'étang de Léon.
Promenade sur sentiers forestiers accessible à tous.
Prévoir 2 heures 30 au minimum.

AQUITAINE – LANDES 40

COURANT D'HUCHET

*Au cœur de la mangrove
gasconne*

Parcourir cette forêt-galerie dans une barque est une réelle épopée dont on revient émerveillé. Mais au plus fort de l'été, les places doivent être réservées plusieurs jours à l'avance ; sinon, de nombreux sentiers VTT parcourent les rives exotiques du Courant d'Huchet. Ils peuvent être empruntés par les piétons et permettent de découvrir cette mangrove gasconne.

Ici, les Landes changent d'aspect, les étendues de pins s'estompent pour faire place à un paysage qui tient plutôt du marécage. Des espèces végétales exotiques y ont été introduites : les cyprès chauves furent rapportés de Louisiane au XVIIe siècle et les hibiscus roses, élevés sur les rives du Nil, ont été introduits par une princesse égyptienne. Chevreuils, sangliers et loutres fréquentent encore ces berges, mais les ragondins sont en voie d'éradication. Importé d'Amérique latine en 1964, le petit mammifère a causé la disparition des châtaignes d'eau et d'une grande partie des nymphéas ; son appétence récente pour les hibiscus causa inexorablement sa perte…

Totalement inconnu au début du XXe siècle, le Courant d'Huchet fut découvert par le grand séducteur Gabriele d'Annunzio qui vanta les charmes cachés de ce qu'il appelait alors le « Courant joli ». C'est le poète gascon Maurice Martin qui le baptisa de son nom actuel.

Dans ces landes aux allures de marécages, cyprès chauves et hibiscus roses offrent un environnement unique en France à découvrir absolument.

DOMAINE D'ABBADIA
Les plus beaux paysages de la côte basque

C'est sur le Domaine d'Abbadia, ultimes terres françaises avant la frontière espagnole, que se cache l'une des plus belles côtes sauvages du Pays basque français.

Ce site naturel, placé sous la protection du Conservatoire du littoral, illustre à lui seul l'infinie diversité de la côte : des falaises de schistes litées comme des mille-feuilles, souvenir des puissantes contraintes tectoniques engendrées par le soulèvement des Pyrénées ; des calcaires rosés hérités des derniers haut-niveaux marins de l'éocène ; des criques de sable doré et des pitons rocheux isolés au large, comme ces deux célèbres rochers protégeant l'entrée du port d'Hendaye.

Après un bref passage par la Maison de la Lande, *Larretxea*, où vous trouverez la carte des itinéraires pédestres du Domaine, poursuivez le sentier qui mène à la pointe Sainte-Anne puis à la baie de Loya. Cette dernière est relativement peu connue car assez discrète. Son accès est recommandé à marée basse. Quand la plage est complètement découverte, les formes et les teintes des hautes falaises sont somptueuses : les couches redressées par les pressions pyrénéennes y sont artistiquement sculptées par les assauts maintes fois répétés de l'océan. Rendus vulnérables par tant de verticalité, ce sont parfois des pans entiers qui disparaissent, après avoir été poli par les vagues (ce qui leur donne une douce texture).

Ne quittez pas le domaine sans aller admirer son verger composé de quelque 250 variétés d'anciennes espèces fruitières des Pyrénées-Atlantiques.

· SITUATION ·
A Hendaye, à 10 km au sud
de Saint-Jean-de-Luz.

———

· ACCÈS ·
Par l'autoroute A 63, sortie
Saint-Jean-de-Luz sud (2) – D 912 vers Socoa
puis Hendaye.

———

Visite libre toute l'année ; attendre
la marée basse pour accéder
à la baie de Loya.

———

· CHEMINS BALISÉS ·
Itinéraire au départ du château d'Abbadia.
Plateau accessible à tous, descente
dans la baie de Loya parfois glissante.
Prévoir 2 heures pour l'ensemble
du parcours.

· SITUATION ·

Dans le Bassin d'Arcachon, à 60 km au sud-ouest
de Bordeaux.

———

· ACCÈS ·

Par l'autoroute A 63, sortie Arcachon (22) – N 250 vers Arcachon
puis la dune du Pilat.

———

Visite libre toute l'année ; mise en place
de marches de juin à septembre.

———

· CHEMINS BALISÉS ·

La montée (GR 8), même facilitée par les marches,
reste pénible : prévoir 20 minutes. La durée de la promenade
varie suivant la distance parcourue sur la dune.

AQUITAINE – GIRONDE 33

DUNE DU PILAT

Un mini-désert sur les côtes aquitaines

La dune du Pilat est éphémère et instable
puisqu'elle ne figurait sur aucune carte
il y a encore 2000 ans et qu'elle n'y figurera
peut-être plus à moyen terme.

En parcourant les côtes girondines, il est impossible de ne pas remarquer ces 60 millions de m³ de sable fin, perchés à 114 mètres d'altitude au-dessus de l'Atlantique. L'ascension de cette dune unique en France est musclée, mais une fois là-haut, le spectacle est inoubliable : un toit désertique qui s'étend à perte de vue, au-dessus des pins et de l'océan. Au large, le banc d'Arguin, escale privilégiée de nombreux voiliers mais également de sternes caugeks.

Cette dune, inscrite au patrimoine mondial de l'humanité par l'UNESCO, n'a pas toujours été aussi immense. Ce n'est qu'au XVIIIᵉ siècle que s'érigea un léger renflement de 30 mètres de hauteur, qui se fortifia des apports sédimentaires de la Eyre, rivière gasconne, pour devenir la sensationnelle dune du Pilat. Au siècle prochain, nul doute qu'elle se sera transportée plus au sud. D'ailleurs, son transfert a déjà débuté : la dune culminait à 130 mètres d'altitude en 1930 !

La star du littoral aquitain a souvent changé de nom : originellement baptisée La Grave, elle prit le nom de Sablonay quand ses dimensions s'amplifièrent, puis de Pilat (« tas » en occitan gascon) ; suite à de pompeuses manipulations étymologiques, elle s'écrit aujourd'hui Pilat ou Pyla.

GORGES DE KAKOUETTA

Le Grand Étroit du Béarn

L'émerveillement grandit à chaque pas dans ces gorges ; chaque détour du sentier ouvre des horizons sans cesse renouvelés, grandioses et diversifiés.

Une fois franchi le hameau de La Caserne, deux aires de stationnement annoncent ces somptueuses gorges, l'un des sites les plus grandioses de la région (l'un des plus fréquentés en été). Ce canyon de 3,5 km de long se parcourt au pied d'impressionnantes falaises de 300 m de haut. Le décor y est des plus sauvages, rappelant, par sa flore luxuriante, les ambiances des torrents amazoniens. La visite s'effectue au rythme des passerelles, tunnels et autres structures facilitant la progression, ainsi qu'avec un casque fourni au départ. Passerelle après passerelle, les rebonds de la rivière d'une limpidité turquoise se donnent en spectacle. La puissante cascade que l'on découvre à mi-chemin explose de magnificence et décuple les charmes de cette excursion déjà fort séduisante. A quelques minutes de marche, les gorges s'achèvent dans la Grotte du Lac, creusée au point d'exurgence de la rivière. Dans un dédale de petits ponts zigzaguant au-dessus de l'eau, on atteint un antre sombre où l'on devine quelques belles concrétions. Ces gorges encaissées sont creusées dans une impressionnante série de calcaire déposé au fond de la mer du crétacé, au pied d'une puissante chaîne de montagne en destruction. Pour les adeptes de la randonnée, nous recommandons le GR 10 qui longe la frontière espagnole d'est en ouest : un parcourt admirable en plein cœur du paysage pyrénéen.

· SITUATION ·

A Sainte-Engrâce, près de Tardets-Sorholus,
à 40 km au sud-ouest d'Oloron-Sainte-Marie.

———

· ACCÈS ·

Par la D 918 jusqu'à Tardets-Sorholus
D 26 et D 113 vers Sainte-Engrâce.

———

Visite payante, de mars à novembre.

———

· CHEMINS BALISÉS ·

Chemin unique jalonné de passerelles
et accessible à tous. Prévoir 2 heures
aller-retour.

· SITUATION ·

A Beherobie, à 25 km au sud-est
de Saint-Jean-Pied-de-Port.

· ACCÈS ·

Depuis Saint-Jean-Pied-de-Port
par la D 301 via Caro, Saint-Michel,
Estérençuby, Beherobie
Suivre « Source de la Nive ».

Visite libre toute l'année, quand
la route est déneigée.

· CHEMINS BALISÉS ·

Il n'existe qu'un sentier, non balisé,
accessible à tous.
Prévoir 10 minutes aller-retour.

GROTTE D'HARPÉA

Une crèche naturelle au cœur des Pyrénées

Si l'on veut découvrir les derniers retranchements de la montagne pyrénéenne, c'est à la Grotte d'Harpéa qu'il faut se rendre. Perdu au milieu des pâturages d'altitude, tout près de la célèbre forêt d'Iraty, le site appartient à un autre monde, celui du calme et de la solitude que seules viennent rompre les lamentations des brebis et les pétarades des chasseurs de palombes. L'endroit figure bien sur quelques cartes mais la route qui y mène ne s'y trouve jamais. Ceux qui sauront accéder à ce paysage de bout du monde ne seront pas déçus. Le paysage y est l'un des plus exceptionnels des Pyrénées. Une petite grotte est naturellement creusée dans un anticlinal, un pli en forme de A ou de chapeau admirablement bien tracé.

Fantastiques empreintes du mouvement pyrénéen, les couches déposées à l'horizontale se sont déformées alors qu'elles n'étaient pas encore consolidées. La Nive, qui prend sa source à deux pas de là, ajoute les charmes d'une eau limpide à ce paysage déjà idyllique.

En repartant par la route d'Iraty, les crêtes sont hérissées de quelques arêtes rocheuses qui abritent le vautour fauve. Cet admirable rapace peut atteindre 2,80 mètres d'envergure et plus d'un mètre de longueur ; plus de 1000 couples vivent sur les versants pyrénéens.

Un étonnant pli rocheux en forme de chapeau que les géologues nomment « anticlinal », et qui a la particularité d'être creusé d'une caverne.

DYKE D'ARLEMPDES

Un étrange promontoire de lave

· SITUATION ·
A Arlempdes, à 30 km au sud du Puy-en-Velay.

· ACCÈS ·
Par la N 188 depuis Le Puy-en-Velay, direction Mende
D 49 à Costaros, direction Ussel puis Arlempdes.

Visite libre toute l'année.

· CHEMINS BALISÉS ·
Ce site est visible depuis la route.

Construit à quelque 80 mètres au-dessus de la Loire, le village d'Arlempdes (on prononce « arlande ») fait partie des sites les plus insolites de France. Les teintes rougeoyantes de la roche volcanique, accentuées au lever et au coucher du soleil, offrent au dyke (voir plus bas) un irrésistible charme. Depuis les portes fortifiées de la ville, il vous faudra peu de temps pour rejoindre le château, construit au XIIIᵉ siècle par les seigneurs de Montlaur. De la petite chapelle, la vue est imprenable sur l'autre rive de la Loire où une très belle coulée de lave dévoile ses prismes diaphanes.

Parler de coulée de lave dans le cas d'Arlempdes n'est pas tout à fait exact. Le village est perché plus précisément sur un filon interne, à la verticale, à l'intérieur d'un volcan. En refroidissant, ce type de structure prend la forme d'une digue (*dyke* en anglais). Les géologues les classent parmi les intrusions, roches massives qui peuvent être déchaussées par l'érosion et apparaître à l'affleurement après plusieurs dizaines de millions d'années.

Particulièrement bien visibles à Arlempdes, les laves forment en refroidissant des prismes de section hexagonale. Ces derniers sont généralement perpendiculaires à la surface de refroidissement de la coulée. Ici, on constate plutôt un enchevêtrement complexe de différentes lames de lave.

En Auvergne, le mont Gerbier-de-Jonc ainsi que les roches Tuillière et Sanadoire ont été formés de la sorte ; ne quittez pas la région sans avoir été admirer celles-ci, des roches jumelles situées au col de Guéry près du Mont Dore.

L'endroit est singulier et la présence, à ses pieds, de cette Loire naissant des flancs du mont Gerbier-de-Jonc contribue pour beaucoup à rendre le cadre des plus enchanteurs.

· SITUATION ·
A Besse-en-Chandesse à 35 km
au sud-ouest d'Issoire.

· ACCÈS ·
Par la D 996 depuis Issoire direction
Le Mont-Dore – D 978 vers Condat.

Visite libre toute l'année.

· CHEMINS BALISÉS ·
Un seul chemin autour du lac, de nombreux autres
aux alentours. Sentier sans dénivelé et sans difficulté.
Prévoir 1 heure de circuit.

AUVERGNE – PUY-DE-DÔME 63

LAC PAVIN

Le plus romantique des lacs de cratère

Ce lieu à la fois vertigineux et envoûtant tire son nom de légendes ancestrales ; Pavin vient du latin *pavens* qui signifie épouvantable. On racontait jadis que l'ancienne ville de Besse fut engloutie dans ses eaux par châtiment divin et qu'y jeter une pierre déchaînait d'effroyables orages. D'autres affirment que c'est là qu'aurait été jetée Excalibur…

Enchâssé dans une forêt magnifique, le lac Pavin est parfaitement circulaire ; ses rives abruptes plongent à la verticale dans des eaux turquoise par beau temps qui deviennent noires au moindre nuage. Les plus courageux pourront grimper au sommet du Puy de Montchal qui offre, du haut de ses 1411 mètres, une vue imprenable sur le lac.

Le lac Pavin résulte de la rencontre du magma en fusion et d'une nappe d'eau. Le choc thermique entre ces deux éléments fut violent : la croûte terrestre explosa, recouvrant la région d'un épais manteau de cendres et créant un cratère d'explosion que l'eau de la nappe phréatique investit. Maar, c'est ainsi que les volcanologues nomment ce phénomène relativement exceptionnel. Avec la création de ce lac s'est achevée l'activité volcanique du Massif central il y a tout juste 4000 ans, durant l'âge du Bronze.

Perché à 1197 mètres d'altitude, ce lac de 750 mètres de diamètre et 92 mètres de profondeur est l'un des plus envoûtants sites de la région.

· SITUATION ·
A Thiézac, à 25 km au nord-est d'Aurillac

· ACCÈS ·
Par la N 122, entre Aurillac et Massiac.

Visite libre toute l'année.

· CHEMINS BALISÉS ·
Il n'existe qu'un seul chemin,
assez pénible à remonter.
Prévoir 1 heure aller-retour.

AUVERGNE – CANTAL 15

PAS DE CÈRE

Descente au cœur d'une vallée volcanique

On accède au site depuis le grand parking de la Cascade de la Roucolle, sur la N 122, entre Vic-sur-Cère et Thiézac. Beaucoup de touristes s'arrêteront là sans présumer de la beauté sauvage qui se dissimule en contrebas. Après un quart d'heure de marche sur les pentes boisées de la vallée, d'énormes blocs recouverts d'une végétation émeraude encombrent le lit agité du torrent. En le remontant, les hautes parois se resserrent et l'on aperçoit le Pas de Cère, un saut d'une soixantaine de mètres jaillissant au creux des falaises.

Ce paysage accidenté est loin de ressembler aux paysages volcaniques que l'on rencontre dans l'ensemble de la chaîne des puys. Le Pas de Cère se situe pourtant au cœur du Cantal, gigantesque volcan d'une cinquantaine de kilomètres de diamètre : le plus grand de France. Il devait atteindre, il y a 22 millions d'années, une altitude maximale de 3300 m (comme l'Etna actuel). Aujourd'hui, il n'en reste plus qu'une immense pénéplaine de sommets émoussés.

Bien que l'on trouve, sur place, des traces de nuées ardentes, de lahars (coulées boueuses de roches volcaniques) et de coulées de laves, le Pas de Cère est majoritairement granitique. Il est formé d'une formidable faille dont le décrochement est dû aux mouvements des Alpes durant l'ère tertiaire ; on parle de cicatrice volcano-tectonique.

Nous vous conseillons de faire un petit crochet par les hauteurs de Thiézac, où l'adorable Cascade de Faillitoux coule sur de magnifiques orgues volcaniques.

Au milieu des reliefs émoussés de l'Auvergne, le Pas de Cère jaillit au cœur d'une végétation luxuriante d'un vert émeraude.

PUY DE LA VACHE

Ascension d'une terre de feu

Au Puy de la Vache, le dépaysement est total, le sol lunaire appartient à un autre monde, à un autre temps, perché entre ciel et terre...

Une fois sur la D 5, il faut passer devant la Maison du Parc pour apercevoir le parking du Puy de la Vache, signalé par une carte de randonnées. 100 mètres en sous-bois suffiront pour goûter à l'ambiance unique des terres de volcans : dans un désert rouge, des bombes volcaniques sombres et denses gisent au milieu des pouzzolanes. Ces petits gravillons volcaniques rouges, légers et poreux, créent un sol aussi accueillant qu'un tapis de mousse. En poursuivant le sentier, le volcan apparaît, puissant et majestueux. C'est au sommet de cette crête en forme de fer à cheval que les plus courageux se rendront

Une fois en haut de l'ancien volcan, la vue s'ouvre et l'on aperçoit à quelques lieux le Puy de Lassolas, ressemblant trait pour trait à celui que l'on vient de gravir : c'est son frère jumeau, issu de la même période de volcanisme auvergnat, il y 7500 ans. Tous deux se sont constitués consécutivement à la remontée d'une poche de magma au niveau de la faille de Limagne, à l'ouest de l'actuel Clermont-Ferrand. Ce sont des volcans de type strombolien, c'est-à-dire faits d'un cône de cendres et de scories. Ils sont dits égueulés car un pan est manquant, chassé sans doute par une coulée de lave oblique. Les jumeaux ont uni leurs coulées de lave pour former la plus longue cheire de France (22 km), facilement identifiable depuis le sommet : elle est recouverte de forêt.

· SITUATION ·
A Aydat, à 22 km au sud-ouest
de Clermont-Ferrand.

———

· ACCÈS ·
Quitter Clermont-Ferrand
par la route du Mont-Dore (N 89)
A Randanne prendre à droite la D 5.

———

Visite libre toute l'année.

———

· CHEMINS BALISÉS ·
Des pancartes jalonnent la promenade.
Ascension assez pénible, « facilitée »
par des escaliers en rondins et des rampes.
Prévoir 1 heure aller
et 2 heures 30 aller-retour.

TOURBIÈRES DU CÉZALLIER
Un monde d'eau chargé d'histoire

C'est sur des rondins que s'effectue une grande partie de la visite ; de véritables embarcations qui donnent l'impression de flotter sur une immense éponge.

Les tourbières sont des endroits sauvages peu ordinaires où le sol flotte comme un radeau au-dessus de vastes étendues d'eau. Nul ne saurait s'y aventurer seul, car ce qui ressemble au premier abord à un vaste pâturage est aussi dangereux qu'un glacier. L'eau n'est pratiquement plus visible, le sol qui la recouvre est sec en surface, mais le site reste mouvant.

L'endroit est un monde extraordinaire, peuplé d'espèces spécifiques, comme la droséra, petite plante carnivore. Il est des plus dépaysants : les pelouses d'un vert intense font place, autour des points d'eau, aux herbes fauves, et vous plongent dans les paysages du Grand Nord.

Caractéristiques des climats froids, les tourbières ont été initiées par la fonte des derniers glaciers il y 15 000 ans. Les eaux froides s'accumulèrent dans les vallées et les dépressions et permirent, dès que le réchauffement se fit sentir, la prolifération de la végétation. Allant jusqu'à occuper l'ensemble du volume d'eau, les sphaignes et autres mousses transformèrent ces constructions en de véritables éponges naturelles de plusieurs dizaines de mètres d'épaisseur.

La tourbe est constituée de 10 à 20 % de matière organique végétale et de 80 à 90 % d'eau. Les tourbières sont de formidables sites fossilifères : l'acidité, le froid et le manque d'oxygène sont propices à la conservation. Dans le nord de l'Europe, quelque 600 corps humains et animaux ont été retrouvés intacts après 2000 ans d'immersion !

· SITUATION ·
A La Godivelle, à 30 km
au nord-est de Condat.

———————

· ACCÈS ·
Par la D 978 depuis Condat
en direction de Besse – Suivre Chanterelle,
Espinchal puis La Godivelle.

———————

Visites guidées tous les jours
du 16/6 au 31/8 ; les vend. sam. dim.
du mois de septembre.

———————

· CHEMINS BALISÉS ·
Circuit avec un guide le long
de sentiers sur pilotis accessible à tous.
Prévoir 1 heure de visite sur le terrain,
et du temps supplémentaire pour le musée.

· SITUATION ·
A Boudes, à 15 km
au sud-ouest d'Issoire.

————

· ACCÈS ·
Par l'autoroute A 75, sortie
Saint-Germain-Lembron (17)
D 48 jusqu'à Boudes.

————

Visite libre toute l'année.

————

· CHEMINS BALISÉS ·
Des chemins, aménagés et indiqués
par des panneaux, rendent
la promenade accessible à tous.
Prévoir 1 heure aller-retour
pour la Vallée des Saints,
2 heures aller-retour
pour le Cirque des Mottes.

VALLÉE DES SAINTS

Au cœur des ocres auvergnates

C'est à Boudes, petit village viticole aux allures provençales, que se dissimulent les argiles rouges de la Vallée des Saints. Le site est fléché depuis le centre du village. Sur la gauche, un escalier descend vers le ruisseau. Le ravin prend des teintes et des formes inattendues en Auvergne : l'eau a sculpté des pyramides parfois hautes d'une trentaine de mètres dans les argiles rougeoyantes. Un dernier escalier permet de poursuivre en direction du Cirque des Mottes, plus petit mais plus sauvages.

Le phénomène observé sur ce site n'est pas unique en France, les ocres les plus réputées étant celles du Luberon dans le Vaucluse. Les teintes flamboyantes sont dues à des argiles ferralitiques qui résultent de l'altération du gneiss sous le climat tropical de l'ère tertiaire (-30 MA). Longtemps recouverte par une couche plus résistante, la surface du sol s'est trouvée morcelée au fil du temps par l'érosion des eaux de ruissellement. C'est à l'isolement de blocs épars que l'on doit les formes pyramidales de la Vallée des Saints, autrement appelées cheminées des fées ou demoiselles coiffées.

D'autres merveilles sauvages jalonnent la région : le Saut du Loup à Beaulieu et, un peu plus au nord, le bourg de Nonette, dominé par un dyke volcanique surplombant de 170 mètres le cours de l'Allier ; l'un des plus beaux panoramas de la région.

Une succession de tours qui évoque une procession de moines et qui a valu son nom à cette vallée peu ordinaire à découvrir absolument.

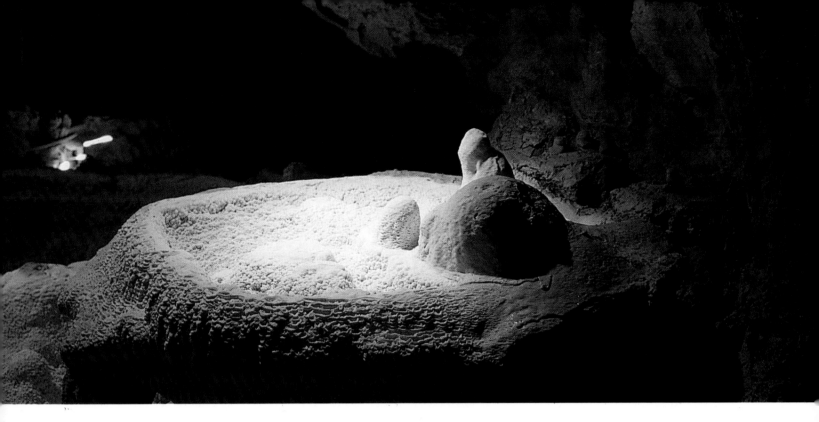

GROTTE D'AZÉ

Une grotte sur trois étages

É tendue sur 1700 mètres et trois niveaux successivement creusés par la rivière souterraine (encore active sur deux d'entre eux), la grotte d'Azé allie de magnifiques concrétions à la magie de l'eau qui forme une cascade en fin de parcours. Ce colossal château d'eau est le siège d'une intense activité de cavitation dans les calcaires du jurassique.

La rivière souterraine d'Azé prend sa source sur le flanc est du mont granitique de Saint-Romain. Après un parcours à l'air libre dans la combe de la Verzé, le petit ruisseau s'engouffre brusquement dans le sol au contact des calcaires et réapparaît à Azé, au niveau de la Fontaine de la Balme. La dénivellation de 72 mètres entre la source et la résurgence a entraîné le creusement de la galerie.

Au cours des âges, la rivière s'enfonçant d'une trentaine de mètres et le sol soumis à trois mouvements décrochant majeurs, Azé s'est doté d'un formidable boyau sur trois étages : une prouesse de la nature qui aura mis 200 millions d'années à s'édifier.

Située à l'intersection des grands axes naturels, la grotte a abrité les premiers hommes et animaux de notre ère ; ossements et outils sont aujourd'hui là pour en témoigner. Entre -300 000 et -150 000 années, Azé fut le territoire des ours des cavernes. Pendant des millénaires leurs ossements se sont entassés sur le sol, constituant le plus ancien ossuaire d'ours actuellement visible en Europe : un véritable paradis pour tous les passionnés de préhistoire.

Une grotte bourguignonne encore très peu connue, qui représente pourtant le plus important réseau souterrain du Mâconnais et constitue le plus ancien ossuaire d'ours d'Europe.

· SITUATION ·
A Azé, à 40 km au sud
de Châlon-sur-Saône.

· ACCÈS ·
Par l'autoroute A 6, sortie Mâcon nord
Rejoindre Cluny – D 15 en direction
de Pont-de-Vaux, suivre les pancartes.

Visite guidée payante, du 01/04
au 30/09.

· CHEMINS BALISÉS ·
Circuit accessible à tous.
Prévoir 1 heure.

· SITUATION ·
A Solutré-Pouilly, à 9 km
à l'ouest de Mâcon.

· ACCÈS ·
Par l'autoroute A 6, sortie Mâcon sud-Solutré
Suivre « Musée de la Préhistoire ».

Visite libre toute l'année.

· CHEMINS BALISÉS ·
Sentier des Roches accessible à tous.
Prévoir 1 heure 30 aller-retour.

BOURGOGNE – SAÔNE-ET-LOIRE 71

ROCHE DE SOLUTRÉ
La plus célèbre des roches bourguignonnes

Une fois au sommet de la Roche, la vue s'étend sur le Mâconnais et le Beaujolais ainsi que sur la roche de Vergisson et, par temps clair, le massif du Jura.

Visible de toute part, cet illustre promontoire dominant à plus de 493 mètres au-dessus des vignes apparaît comme une montagne dressée au milieu de la campagne. Érigée là depuis la nuit des temps, il ne fait plus un doute que la Roche de Solutré veille sur l'excellence des vins de Bourgogne.

Pour atteindre son sommet et admirer le plus sensationnel des panoramas de la région (vue sur 360°), le sentier des Roches débute devant le musée de la Préhistoire et serpente à travers buis. La promenade est réputée : Lamartine en poétisa l'harmonie des courbes et des couleurs et après lui François Mitterrand en fit le site le plus politisé de France. Le lieu est également réputé pour son célèbre gisement d'ossements et d'outils préhistoriques. En 1866, on découvre dans les éboulis situés au pied de la roche les traces du premier chasseur à la sagaie : l'Aurignacien, évoluant en Bourgogne il y a plus de 30 000 ans, ainsi qu'un charnier de plus de 100 000 chevaux abattus lors de grandes battues organisées par les Gravettiens il y a quelque 28 000 ans. Les ossements étendus sur près d'un mètre d'épaisseur et plusieurs hectares constituent une couche géologique bien insolite : la brèche d'ossements de Solutré. Le paradis des passionnés d'archéologie.

· SITUATION ·
A Fréhel, à 35 km à l'ouest
de Dinard.

———

· ACCÈS ·
Par la N 137 depuis Rennes jusqu'à Dinan
D 2 jusqu'à Ploubalay – Route côtière
D 786 jusqu'à Fréhel.

———

Visite libre toute l'année,
parking payant.

———

· CHEMINS BALISÉS ·
Divers sentiers aménagés ou non, de difficultés diverses,
du plus simple au plus vertigineux… prudence !
Prévoir 1 heure pour atteindre l'extrémité du cap.

BRETAGNE – CÔTES-D'ARMOR 22

CAP FRÉHEL
Mer verte, falaises rouges

Mondialement connu pour ses teintes flamboyantes et sa richesse ornithologique, le cap Fréhel ne saurait laisser quiconque indifférent. La route s'arrête au pied des deux phares, sur un parking où il faut s'acquitter d'une faible contribution à l'entretien du site.

La promenade se poursuit à pied, à travers landes au milieu des bruyères et des ajoncs colorés. Au bout du chemin, la terre s'efface au niveau de falaises rouges plongeant de 70 mètres dans les eaux vertes de la mer d'Émeraude. Nombreux sont les chemins qui permettent de découvrir le cap dans ses aspects les plus vertigineux. La beauté de la mer mêlant ses écumes aux écueils des îlots de la Fauconnière isolés en mer y est un spectacle des plus étonnants et des plus vivifiants.

Ici, la Bretagne joue l'originalité, le granite qui impose partout ailleurs ses teintes et ses reliefs s'est effacé pour faire place à des grès rouges, déposés il y a 400 millions d'années dans une mer peu profonde. Leur teinte est due à une forte teneur en minerai de fer, témoin du climat tropical qui sévit en Bretagne à l'issu du carbonifère (à la fin de l'ère primaire). A cette période, les terres bretonnes se situaient en effet sous des latitudes plus exotiques.

Les charmes du cap Fréhel séduiront tous ceux venus chercher ici l'essence même des grands espaces.

47

CHAOS DE HUELGOAT
Un champ de roches légendaires

Ici la magie des lieux opère un charme envoûtant. Les formes souples du minéral confèrent à ce site unique une volupté accentuée par les mousses.

C'est rue de Berrien, à la sortie du lac, que débute le parcours qui mène au Chaos, illustre merveille de la Bretagne intérieure. D'énormes blocs de granite recouverts de mousses émeraude forment un gigantesque labyrinthe. Après quelques pas, la grotte du Diable donne le ton de cette promenade haute en couleur : une échelle s'insinue sous la roche pour vous faire découvrir la rivière d'Argent, temporairement souterraine. Quelques autres pas le long de l'Allée violette, celle du Ménage de la Vierge ou encore vers la Pierre tremblante, et la promenade peut s'arrêter là ou se poursuivre sur le sentier des Amoureux en direction de la mare aux Fées et du Camps d'Artus.

Le pays d'Armor abonde de mille légendes où la mission des chevaliers de la Table Ronde se confond bien souvent avec l'Histoire. C'est au gouffre (direction Carhaix), que l'on situe un épisode important de la légende bretonne. A l'emplacement d'une ancienne défense celte, actuellement baptisée « Le Belvédère », on raconte que le roi Gradlon (VIe siècle) possédait un château. De là, on pouvait voir, par clair de lune, des fées se baigner. Elles étaient superbes et se coiffaient avec des peignes en or ; le jour, elles se transformaient en affreuses sorcières jeteuses de sorts. La fille du roi, Dahut, qui avait une conduite volage, précipitait ses amants d'une nuit dans le gouffre ; par grand vent, on entendait leurs cris et leurs plaintes.

Formé de deux mots bretons *huel* (haute) et *koat* (forêt), le mot Huelgoat signifie Haute-Forêt et exprime ainsi l'importance militaire de la ville. Ainsi en témoigne le camps gallo-romain dit Camps d'Artus utilisé après la conquête romaine par les légions de César.

· SITUATION ·

A Huelgoat, à 30 km au sud de Morlaix.

· ACCÈS ·

Par la D 769 depuis Morlaix,
direction Huelgoat.

Visite libre toute l'année.

· CHEMINS BALISÉS ·

Nombreux sentiers fléchés,
sans dénivelé, accessibles à tous.
Prévoir 1 heure 30 de circuit au minimum.

· SITUATION ·
A 20 km au large de Concarneau.

———

· ACCÈS ·
Par la N 165 entre Brest et Vannes,
sortie Concarneau.

———

Traversée en bateau
depuis Concarneau, Bénodet ou Loctudy
entre avril et octobre.

———

· CHEMINS BALISÉS ·
Un sentier unique, accessible à tous,
fait le tour de l'île. Prévoir 1 heure 30
de traversée et 1 heure au minimum sur l'île.

PLAGE DE SAINT-NICOLAS-DES-GLÉNAN

Les eaux turquoise d'un archipel de rêve

Cet archipel s'éparpille en neuf îles principales, toutes plus séduisantes les unes que les autres. Après 1 heure 30 de croisière, le bateau accoste près du vivier de Saint-Nicolas. L'endroit est paradisiaque : l'eau se fait turquoise et le sol immaculé. C'est sur la côte exposée plein sud que se trouve la plus belle plage de Saint-Nicolas. Souvent surpeuplées l'été, ses eaux limpides comme le cristal offrent une vision très exotique de la Bretagne, hors-saison.

Le reste de l'archipel se détache à l'horizon : la petite île de Brunec au nord, Bananec qui jouxte Saint-Nicolas à marée basse, Cigogne, reconnaissable à son fort du XVIIIe siècle, Penfret et son phare au loin, Giautec et sa réserve ornithologique, l'île du Loc'h au sud et enfin Drénec. Une dizaine d'autres îles, plus petites, sont disposées en rond autour d'une sorte de mer intérieure appelée « La Chambre ». C'est dans ces eaux turquoise que réside le charme des Glénan, véritable métissage de Bretagne et de Pacifique. Cette couleur est due à la nature du sable, composé principalement de maërl, sédiment constitué à 80 % de débris finement moulus d'une algue rouge.

Ouvrez l'œil : l'île de Drénec abrite la précieuse et très protégée narcisse des Glénan et les eaux de l'archipel hébergeraient le requin pèlerin…

En moins d'une heure de marche, ce site aux eaux limpides et turquoise dignes des plus lointains lagons, n'aura plus guère de secrets pour vous.

· SITUATION ·

A Audierne, à 35 km à l'ouest de Quimper.

· ACCÈS ·

Quitter Quimper par la D 765 vers Douarnenez
D 784 jusqu'à Audierne.

Visite réglementée toute l'année, parking payant.

· CHEMINS BALISÉS ·

Sentiers fléchés bien marqués, balisage bleu pour atteindre
l'extrémité de la pointe. Circuit accessible à tous
sauf l'extrémité de la pointe. Prévoir 15 minutes pour rejoindre
le sémaphore, 1 heure 30 pour atteindre l'extrémité de la pointe.

BRETAGNE – FINISTÈRE 29

POINTE DU RAZ
Le joyau des Cornouailles

C'est depuis l'adorable cité balnéaire d'Audierne que l'on rejoint la célèbre pointe du Raz. Elle n'est désormais accessible qu'à pied et les visiteurs motorisés devront s'acquitter d'un droit de parking utilisé pour la sauvegarde et l'entretien de ce grand site national protégé par l'État au titre de patrimoine naturel. On atteint le sémaphore à pied ou en navette (gratuite). Sans être réservée à une élite d'acrobates, la découverte de l'extrémité de la Pointe requiert un peu d'agilité (personnes mal chaussées, accompagnées d'enfants en bas âge ou d'animaux s'abstenir). Le sentier parfois vertigineux, les rampes et autres passages sous roche font pourtant de cette escapade côtière une superbe aventure. Au large, les courants redoutables battent le phare de Tévennec. Un site grandiose, véritable défi à l'océan…

Celle que les Bretons nomment *Beg ar Raz* est constituée de terrains aussi vieux que résistants. Les gneiss, schistes et granites qui la composent datent de l'ère primaire, il y a 600 millions d'années. L'érosion due à une mer souvent violente sème une myriade de récifs et creuse d'insondables grottes le long de la côte ; redoutable terrain de navigation, le cap est très redouté des marins. Et ce n'est pas en accostant que les rescapés sont sortis d'affaire, puisque la légende raconte que de méchants lutins viennent s'y promener à la faveur de la nuit.

Ne quittez pas la pointe sans parcourir les falaises nord du cap Sizun, l'un des plus beaux ensembles naturels de Bretagne, classé en réserve botanique et ornithologique.

La pointe du Raz, admirable éperon rocheux, élance des récifs à plus de 70 mètres au-dessus des eaux émeraude de la mer d'Iroise.

ROCHERS DE PLOUMANACH

Merveille de la côte de granite rose

En adoptant des formes évocatrices, certaines de ces roches parviennent à se faire un nom : le Pied, le Sabot renversé, la Bouteille...

C elle que l'on appelle aussi la « Corniche bretonne », s'étend entre Perros-Guirec et Trébeurden, mais c'est à Ploumanach surtout qu'elle fait montre d'originalité et de générosité. Ici, les rochers d'un rose tendre qui mordent sur la mer comptent parmi les plus admirables et les plus pittoresques de la Bretagne. Les formes émoussées donnent au paysage une ambiance douillette et apaisante. Dans un chaos aux dimensions impressionnantes, chaque bloc a sa particularité et tous sont garants de l'équilibre de l'ensemble. C'est au soleil couchant que les teintes rougeoyantes de ce paysage confinent au sublime.

Les couleurs évoquent alors les terres de feu et rappellent que les roches granitiques sont nées du magma. Ces dernières caractérisent l'intense activité qui a agité l'écorce terrestre lors de la séparation des cinq continents : au sein d'une croûte tiraillée de toute part, le magma est remonté des profondeurs du manteau. Ce n'est qu'après un long refroidissement que les roches ont formé des plutons (massifs granitiques), qui ont rejoint la surface à la faveur d'un soulèvement ou d'une érosion massive des sols sous-jacents et ont subi ensuite l'incessante usure qui les a émoussés en boules.

Tourné vers l'horizon, vous apercevrez, par temps clair, l'archipel des Sept-Îles, première réserve naturelle créée en France, à une heure de bateau depuis Perros-Guirec. Elle abrite la plus importante colonie française de fous de Bassan (5000 couples) et de macareux ; les phoques y nagent d'île en île.

· SITUATION ·
A Ploumanach, à 4 km au nord-ouest
de Perros-Guirec.

———

· ACCÈS ·
Par la D 767 depuis Guingamp, direction
Lannion – D 788 vers Perros-Guirec
puis Ploumanach.

———

Visite libre toute l'année.

———

· CHEMINS BALISÉS ·
Sentier des Douaniers accessible à tous ;
escalade sur les rochers pour les plus acrobates.
Prévoir 20 minutes au minimum.

· SITUATION ·
S'étend entre Châteauroux, Tours et Poitiers.

· ACCÈS ·
Par l'autoroute A 20, sortie Argenton-sur-Creuse
Toutes les départementales partant
de la N 151 en direction de Le Blanc.

Visite libre toute l'année sur les étangs publics.

· CHEMINS BALISÉS ·
Nombreux sentiers de randonnée souvent difficiles
à repérer mais accessibles à tous.

BRENNE
Une constellation d'étangs

Ce « Pays aux mille étangs » est reconnu comme zone humide d'importance internationale : sur ses 160 000 hectares, près de 250 espèces d'oiseaux et 900 espèces végétales y ont été recensées.

Dans ce « Pays aux mille étangs », chaque plan d'eau a son charme et il est assez difficile d'en recommander un en particulier. Parmi les nombreux joyaux que recèle cette région, nous ne citerons que celui de la Mer Rouge, qui se prête facilement à la marche, et celui du Grand Brun, très exotique, avec des souches d'arbres morts qui peuplent la surface de ses eaux.

Le premier se trouve à proximité immédiate de la Maison du Parc de Rosnay, sur la D 27. C'est le plus grand des étangs de Brenne (10 km de tour) et l'un des plus beaux. Ses allées de chênes, néfliers et merisiers offrent quelques trouées permettant d'admirer le calme serein de son miroir d'eau. Le second est plus représentatif des étangs de Brenne : peu accessible mais d'un charme fou…

Le sol de la région est criblé de ces trous d'eau sauvages où la nature a su rester authentique. Pourtant, ce phare de la nature française n'a de naturel que le nom, puisque tout, en Brenne, est d'origine artificielle : toutes ces retenues d'eau avaient pour vocation première d'abreuver les troupeaux et d'élever les poissons. Les étangs sont en général très peu profonds (1,50 à 2 mètres), et se retrouvent souvent à sec durant les périodes chaudes. Leurs richesses sont éphémères, les tonnes de végétation qui y vivent puis y meurent finissent par s'entasser sur le fond et combler l'étang. Après une période allant de 10 à 100 ans, la nature reprend ses droits en réinstallant la forêt sur une terre que l'homme lui avait empruntée.

· SITUATION ·

A Verzy, à 15 km au sud-est de Reims.

· ACCÈS ·

Par l'autoroute A 4, sortie Reims-Cormontreuil
N 44 sur 12 km vers Chalons-en-Champagne
D 34 jusqu'à Verzy.

Visite libre toute l'année.

· CHEMINS BALISÉS ·

Sentier fléché sans dénivelé accessible à tous.
Prévoir 1 heure 15 aller et 1 heure de circuit.

FAUX DE VERZY

Première réserve mondiale de hêtres tortillards

C'est après avoir traversé les prestigieuses vignes de Champagne qu'une petite route grimpe sur les flancs de la Montagne de Reims et rejoint cette surprenante pépinière de hêtres tortillards, ou faux, dont le nom vient du latin *fagus* qui désigne une forme d'arbre aux contorsions multiples.

Le parcours s'étend sur 8 km, mais nul n'est besoin de parcourir la totalité du circuit pour se laisser impressionner par les contorsions des troncs et des branches, tels des tentacules figées dans leurs déambulations. La forêt de la Montagne de Reims est aussi fragile qu'insolite : le tassement de la terre par piétinement asphyxie les racines et porte atteinte à la longévité des faux ; pour cela, il est recommandé de ne pas pénétrer sous les arbres et de rester derrière les barrières.

Ces véritables parasols de verdure ont alimenté bien des légendes et fait peser bien des mystères. Les arbres « monstrueux », aux troncs faits de coudes et de genoux désarticulés, ont soulevé d'autant plus d'énigmes qu'ils se sont implantés dans les anciens jardins des moines de l'abbaye bénédictine de Saint-Basles : malédictions divines et sorcellerie ont fait place à des explications plus scientifiques mais pas toujours fondées. On mit en cause la teneur élevée du sol en fer ainsi que le passage d'une rivière souterraine, mais bien que l'incertitude demeure encore, on préfère retenir la thèse de la mutation génétique due à un virus, une bactérie ou une météorite radioactive. Malgré bien des hypothèses, le mystère demeure…

Si l'on sait désormais que les contorsions des faux ne relèvent pas de la sorcellerie, les scientifiques ne connaissent toujours pas l'origine exacte de ces déformations.

59

• SITUATION •
A Monthermé, à 28 km au nord
de Charleville-Mézières.

————

• ACCÈS •
Par la D 989 depuis Charleville-Mézières
vers Monthermé – D 31 vers le Roc de la Tour.

————

Visite libre toute l'année.

————

• CHEMINS BALISÉS •
Un GR sans difficulté mène en 5 minutes
au Roc depuis le parking.

CHAMPAGNE-ARDENNE – ARDENNES 08

ROC DE LA TOUR

Des fantômes de pierres

Les lumières du couchant confèrent à cet endroit une ambiance fabuleuse : les rochers prennent des allures fantomatiques et l'horizon dessine, dans une légère brume, les monts émoussés de l'Ardenne.

Situé à quelques kilomètres de la rive droite de la Meuse, c'est depuis la vieille ville de Monthermé que l'on accède à ce site rocheux admirable. Le Roc de la Tour, très vite atteint, est un vertigineux promontoire dominant la vallée de la Semoy. Les rochers qui ont donné leur nom au site sont deux colonnes démantelées se tenant mutuellement en équilibre, on ne sait ni comment ni pour combien de temps. Ils surplombent la forêt de sapins et un gigantesque chaos de rochers que les plus hardis pourront parcourir de bloc en bloc.

Les reliefs de ces anciennes terres montagnardes ont longtemps été territoire frontière ; la position stratégique inscrivit très tôt ce site dans l'histoire. Nombreuses sont les fortifications qui témoignent encore de luttes sanglantes : la place forte de Rocroi ou encore Mézières dont le latin *maceriae* signifie muraille.

Sur les hauteurs de la Meuse, nombreux sont ces rochers affublés de noms qui les rattachent à l'histoire ou à la légende, telles la Longue Roche et la Roche à Sept Heures perchées au-dessus de Monthermé, les Rochers des Grands Ducs vers Nouzonville, sans oublier les célèbres Dames de Meuse vers Revin, ou les Quatre-Fils-Aymon, du nom de ces quatre chevaliers qui, avec leur cheval Bayard, luttèrent contre les troupes de Charlemagne.

· SITUATION ·
A Rolampont à 14 km au nord de Langres.

· ACCÈS ·
Par l'autoroute A 31, sortie Langres nord
N 19 direction Chaumont
D 1 jusqu'à Rolampont.

Visite libre toute l'année.

· CHEMINS BALISÉS ·
Site aménagé. Panneaux pédagogiques, marches
et rampes rendent la promenade accessible à tous.
Prévoir 1 heure au minimum.

CHAMPAGNE-ARDENNE – HAUTE-MARNE 52

SITE DE LA TUFFIÈRE

L'incroyable complicité du végétal et du minéral

Dans un site forestier soigné, cette cascade
est une incroyable alliance du végétal
et du minéral : l'eau y ruisselle sur un douillet
tapis de mousse en escalier.

Concurrente directe de la célèbre cascade d'Étufs, située sur la commune de Rouvres-sur-Aube, celle de la Tuffière n'a rien à envier à sa rivale. Remarquablement aménagée, elle offre l'une des plus agréables promenades en Haute-Marne.

C'est dans un site forestier soigné que les eaux de la Tuffière font des prouesses en ruisselant le long de gradins mi-roche mi-mousse. Cristallines, elles trouvent ici une place de choix au creux de larges vasques et s'écoulent avec patience au gré de multiples cascades. A la Tuffière, le temps semble s'arrêter et la douce pénombre qui baigne le site ne fait que renforcer la quiétude qui en émane. Végétaux et minéraux s'y unissent pour former le tuf : un encroûtement de calcaire résultant de l'utilisation du gaz carbonique de l'eau par les mousses lors de leur photosynthèse.

N'hésitez pas à prolonger votre promenade par un petit tour dans les sous-bois ; la Haute-Marne est surnommée la Terre aux Orchidées car ces fleurs, que l'on associe souvent aux destinations exotiques, foisonnent sur les terrains calcaires champenois (cueillette strictement interdite). Plus au nord, le lac du Der Chantecoq est un lieu d'accueil privilégié pour les oiseaux : quelque 270 espèces dont 40 000 grues cendrées y stationnent durant le mois d'octobre.

· SITUATION ·
Entre Piana et Porto, à 72 km
au nord d'Ajaccio.

———

· ACCÈS ·
Par la N 194 depuis Ajaccio
D 81 jusqu'à Piana.

———

Visite libre toute l'année.

———

· CHEMINS BALISÉS ·
Différents sentiers accessibles
à tous avec de bonnes chaussures
de randonnée. Prévoir 2 heures aller-retour
au minimum pour chaque itinéraire.

CALANCHE DE PIANA

Les falaises rouges du golfe de Porto

Classé d'intérêt mondial par l'UNESCO, le site est bel et bien à la hauteur de sa renommée. Entre Piana et Porto, lacet après lacet, le paysage ne cesse d'émerveiller par ses couleurs et ses formes. Ici, quand les aiguilles et les tafonis de granite rouge (cavités arrondies dues à l'érosion des roches magmatiques par l'eau, le vent et le sel marin) se détachent sur un fond de ciel bleu, le spectacle est inoubliable. Pour se plonger plus encore dans ce décor de rêve, de nombreux sentiers sillonnent les Calanche de Piana.

Nous vous conseillons deux randonnées : celle de l'ancien sentier muletier aussi appelé *Sentier de Piana à Ota* et celle de la *Tête de Chien*. La première, qui débute après le pont de Mezzanu (balisage orange), est remarquable pour les magnifiques points de vue qu'elle offre depuis les crêtes ; une partie de la randonnée s'effectue sur un chemin dallé, soutenu par un admirable mur de pierres sèches. La seconde, plus bas, sur la route de Porto, mène au *Château Fort* (balisage bleu), un belvédère surplombant la mer où le paysage est particulièrement bien mis en valeur au coucher du soleil.

Ne quittez pas le golfe de Porto sans embarquer pour la réserve naturelle de Scandola, l'un des plus purs joyaux de la nature insulaire. Depuis le port de Porto, des balades en mer vous feront découvrir des grottes marines et des falaises d'orgues volcaniques plongeant dans une eau turquoise.

Un paysage à la fois hirsute et courbe, agressif et tendre, qui se pare d'une lumière sublime quand le soleil décline et que ses couleurs s'ajoutent à celle de la roche magmatique.

· SITUATION ·
Près de Zicavo, à 30 km à l'est d'Ajaccio.

· ACCÈS ·
Par la N 196 depuis Ajaccio, direction Bonifacio
D 83, après le col de Saint-Georges
vers Sainte-Marie-Sicché et Zicavo.

Visite libre toute l'année.

· CHEMINS BALISÉS ·
Sentier de montagne marqué en jaune.
Prévoir 1 heure 30 de montée depuis le parking
de la Chapelle Saint-Pierre.

CORSE – CORSE-DU-SUD 2A

POZZINES DU PLATEAU DE COSCIONE

Sur les berges moelleuses des ruisselets de montagne

Un immense plateau recouvert d'un épais tapis
d'herbe verte, découpé de toute part de ruisseaux
et de plans d'eau comme un gigantesque puzzle.

C'est au milieu des ânes, chevaux et autres cochons sauvages que s'effectue cette randonnée à l'ambiance insolite. Après une petite demi-heure de marche, les premiers joyaux du plateau de Coscione s'offrent en spectacle. Une multitude de petits ruisselets coulant aux creux de berges rebondies sur un moelleux tapis d'herbe rase : les pozzines. En continuant le sentier, le spectacle s'interrompt le temps de franchir un petit monticule et recommence de plus belle. La marche se poursuit au rythme des ruisseaux, se perdant parfois dans le sol et rejaillissant de nulle part dans de petits bassins douillets.

Pozzine vient du corse *pozzi* qui signifie puits et désigne un ensemble de petits trous d'eau claire reliés par un réseau de ruisseaux aériens ou souterrains. Les pozzines prennent place dans des pâturages à l'herbe rase sur un sous-sol imperméable. Celles que l'on compare souvent à des tourbières se mettent en place comme elles dans des vallées glaciaires. Parfois à sec en été, c'est au début du printemps qu'elles sont à leur maximum de remplissage, quand la fonte des neiges ennoie les pâturages. S'y promener à cette période est admirable si l'on ne craint pas d'avoir de l'eau jusqu'à mi-mollets…

CASCADE DE BAUME-LES-MESSIEURS

Une superbe reculée au cœur du Jura

Baume-les-Messieurs, classé en tête des plus beaux villages de France, est un site d'exception : ses falaises majestueuses protègent, comme un écrin, une multitude de sentiers.

Ses 400 mètres de largeur, 1500 de longueur et 200 de profondeur font de Baume-les-Messieurs la plus belle reculée de la vallée de la Seille, qui en compte trois, disposées en patte d'oie. C'est depuis le belvédère des Roches de Baume (accès par la D 471) que l'on observe au mieux le vaste hémicycle. Au fond coule la merveilleuse cascade de tuf : ses eaux tombent en multiples rebonds moussus qui forment comme une robe de mariée. Un subtil mélange de verts et de blanc immaculé rend cette cascade fascinante. Mais pour mériter ce spectacle, il vous faudra faire votre visite en dehors des périodes sèches : en plein été il ne coule généralement qu'un mince filet d'eau.

Tout autour, la reculée se parcourt en tous sens ; ses formes sont celles d'un amphithéâtre que l'on avait autrefois coutume de décrire comme un « bout du monde ». Souvent envahis par une végétation luxuriante, ces culs-de-sac, plongés dans une pénombre inquiétante, ont longtemps servi de support à bien des légendes. Les eaux qui en jaillissaient n'allaient pas sans alimenter le culte du mystère. Seuls capables d'exorciser le maléfice, c'est le plus souvent les moines qui prirent possession des reculées et, avec elles, de leurs terres fertiles. Ce fut un religieux irlandais qui édifia, au VIe siècle, l'abbaye de Baume. Originellement baptisé « Baume-les-Moines », le village s'anoblit au XIVe siècle, en même temps que les chanoines, et devint Baume-les-Messieurs.

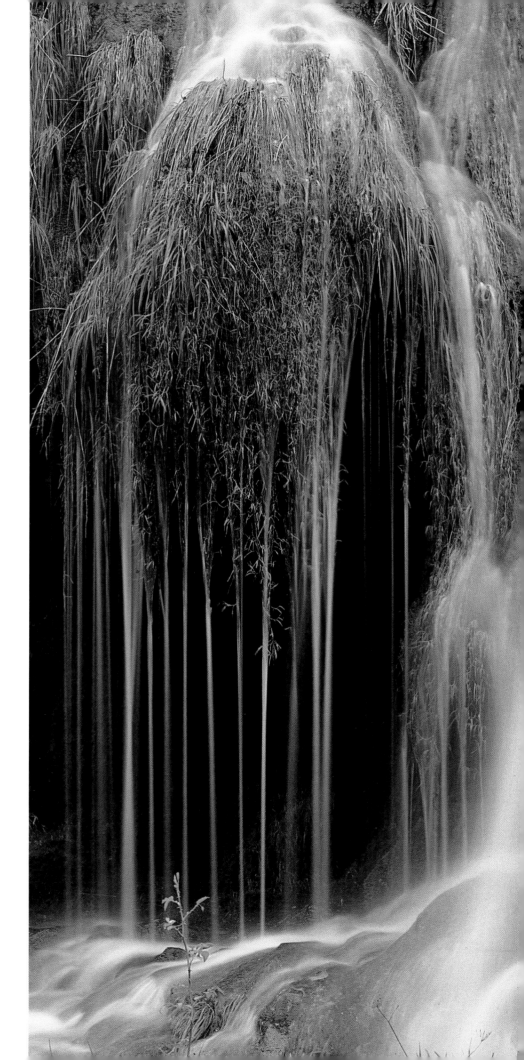

· SITUATION ·
A Baume-les-Messieurs, à 15 km à l'est
de Lons-le-Saunier.

———

· ACCÈS ·
Par la D 70 depuis Lons-le-Saunier,
direction Voiteur puis Baume.

———

Visite libre toute l'année.

———

· CHEMINS BALISÉS ·
La route conduit directement
au pied de la cascade.

· SITUATION ·
Sur les communes de Doucier et Ilay,
à 40 km au nord de Saint-Claude.

———

· ACCÈS ·
Par la D 437 depuis Saint-Claude
jusqu'à Saint-Laurent-en-Grandvaux
N 78 sur 10 km direction Lons-le-Saunier
D 75 jusqu'à Ilay ou D 39 jusqu'à Doucier
puis D 326 jusqu'au départ des cascades.

———

Visite libre toute l'année.

———

· CHEMINS BALISÉS ·
Sentier fléché bien marqué d'une longueur
totale de 3,7 km. Prévoir 3 heures au minimum
pour parcourir la totalité du sentier.

CASCADES DU HÉRISSON
Le sentier des trente et une cascades

Le parcours peut débuter de Doucier ou d'Ilay. Dans le premier cas, on remonte le courant et le fort dénivelé rend le début de la promenade assez physique. Cependant, on entre plus vite dans le sujet puisque les deux premières cascades rencontrées sont les plus belles et les plus célèbres : la Cascade de l'Éventail et le Grand Saut, chutant respectivement de 65 et 60 m. Toutes deux offrent un spectacle éblouissant et rafraîchissant. Dans le second cas, le sentier moins accidenté est accessible à tous. On découvre tour à tour le Gour Bleu, le Saut de la Forge, le Saut du Moulin et le Saut Girard qui ponctuent la première partie de l'itinéraire.

Chacune des deux cascades a son charme et nul ne saurait résister à la tentation d'une petite baignade. Aux Chutes du Hérisson, les eaux naissent et circulent en surface. C'est au sortir du lac de Bonlieu, à 805 m d'altitude, que prend naissance la rivière. En 3 km, elle rejoint le plateau de Doucier, situé 280 m plus bas. C'est couche après couche que l'eau y a creusé les bancs horizontaux les moins résistants et glissé sur les bancs de calcaire plus durs, formant la structure spectaculaire des gorges.

Si vous avez le temps de découvrir la Franche-Comté, nous vous conseillons vivement de partir à la découverte de la grotte de la Glacière, dans la région de Besançon. Cette grotte de glace, unique en France, a vraiment de quoi impressionner : cette imposante cavité à ciel ouvert abrite des colonnes de neige et de glace pouvant atteindre jusqu'à 20 m de haut.

Une promenade de près de 4 km, jalonnée d'une multitude de cascades très différentes les unes des autres, mais qui rivalisent de beauté et offrent un spectacle éblouissant.

CIRQUE DE CONSOLATION

Un parc enchanteur au milieu des falaises

Les mousses et les arbres entretiennent
ici des liens de complicité rares ; les formes
issues de ce mariage renforcent la douceur
qui émane de ce site.

Pour rejoindre ce fantastique parc, suivre « Chapelle Notre-Dame-de-Consolation ». Sur la route, la source du Dessoubre et la cheminée des fées sont de modestes préambules. La promenade se poursuit au fond du cirque : dans le plus grand respect de la nature, des itinéraires balisés permettent d'arpenter ce site paradisiaque, calme et voluptueux.

De discrets petits ponts enjambent la rivière aux eaux tumultueuses d'une paradoxale quiétude. Ici le silence règne, et tous les éléments s'accordent à rendre l'endroit des plus accueillants.

En suivant le balisage jaune et bleu, la cascade du Tabourot s'offre en spectacle à longueur d'année, mais il faut beaucoup de chance pour voir couler la Grande Cascade, dite aussi du Lançot, du haut de ses 47 mètres. Elle jaillit de la grande grotte au cœur d'un vaste hémicycle avec d'autant plus d'élégance que le phénomène est rare. L'eau qui l'alimente doit passer un siphon dans ses déambulations souterraines, on la dit alors intermittente, capable de déverser entre 0 et 5 m^3/s.

Côté flore, 600 végétaux différents ont été recensés sur ce site, véritable havre de paix aux couleurs hors du commun.

· SITUATION ·

A Nans-sous-Sainte-Anne, à 30 km
à l'ouest de Pontarlier.

· ACCÈS ·

Par la D 72 depuis Pontarlier, direction Salins-les-Bains
D 103 vers Nans-sous-Sainte-Anne.

Visite libre toute l'année.

· CHEMINS BALISÉS ·

Sentiers balisés de tous niveaux ; source accessible
à tous en 5 minutes, grotte Sarrazine
ou Creux Billard en 15 minutes.

FRANCHE-COMTÉ – JURA 39

SOURCES DU LISON

Un savant mélange de roche, d'eau et de flore

Les sources du Lison regroupent la grotte Sarrazine, la source du Lison proprement dite et le Creux Billard. Sur la droite, un petit sentier mène à la grotte : haute de 90 mètres, elle s'ouvre dans la falaise par un porche naturel qui abrite en période humide la résurgence d'une des branches du Lison. Plus loin, le sentier mène à la source, d'une abondance époustouflante. Une large lame d'eau s'échappe d'une caverne et tombe en double cascade dans un somptueux bassin aux eaux claires. Ici l'eau s'écoule à longueur d'année et c'est, après la Loue, la plus puissante résurgence du Jura (jusqu'à 600 l/s). Le sentier grimpe ensuite en lacets jusqu'au sommet du Creux Billard, une dépression féerique.

Dans le Jura, le réseau hydrographique s'écoule plus volontiers en profondeur qu'en surface. Les calcaires déposés sous les océans du jurassique, il y a 150 millions d'années, sont responsables de cette perméabilité : l'eau ne parvient que très rarement à rester en surface, c'est pourquoi les grottes, les sources et les résurgences sont si nombreuses dans la région.

Ne quittez pas la source du Lison sans aller admirer le Gros Chêne, à une quinzaine de minutes de la source. Cet adolescent de 250 printemps atteint 4,80 mètres de circonférence.

Une promenade qui compte parmi les plus remarquables du Jura. Au sommet du sentier, les falaises abruptes aux couleurs surnaturelles s'ouvrent à 50 mètres en contrebas sur le cours souterrain du Lison.

· SITUATION ·
A Barbizon, à 9 km au nord-ouest
de Fontainebleau.

· ACCÈS ·
Par l'autoroute A 6, sortie Ury-Fontainebleau
N 152 jusqu'à Fontainebleau
N 7 direction Paris jusqu'à Chailly-en-Bière
Suivre Barbizon.

Visite libre toute l'année.

· CHEMINS BALISÉS ·
Sentier marqué en bleu, sans difficulté.
Prévoir 20 minutes aller.

ÉLÉPHANT D'APREMONT, FORÊT DE FONTAINEBLEAU

Un pachyderme plus vrai que nature

La forêt de Fontainebleau est célèbre pour ses innombrables rochers ; certains plus originaux que d'autres ont même réussi à se faire un nom. Au milieu de ce fantastique bestiaire, l'Éléphant d'Apremont est sans doute le plus beau spécimen.

Ce rocher massif de deux mètres sur cinq environ, semble s'être égaré au milieu de tous les autres, tant on a l'impression qu'il est vivant et qu'il pourrait bouger. Pour rejoindre cette pure merveille de la nature, il faut emprunter le sentier Denecourt n° 6, balisé en bleu, depuis la sortie du célèbre village de Barbizon. Il débute après le night-club sur la droite de la route forestière puis longe de belles habitations jusqu'à un grand carrefour forestier. Là prendre à gauche, l'Éléphant s'y dresse à une cinquantaine de mètres.

Ce rocher, comme tous les autres dans cette forêt, est constitué de grès : du sable que le temps a tassé et que l'eau a cimenté. C'est une répartition aléatoire des pressions et de l'eau qui a inégalement consolidé la roche, l'érosion faisant le reste.

La magnificence de la forêt de Fontainebleau a inspiré de très nombreux peintres, regroupés au sein de la célèbre « École de Barbizon ». Aujourd'hui encore, le village est réputé pour ses galeries de peinture.

Difficile de croire que la nature seule soit à l'origine d'une telle sculpture : la ressemblance de ce rocher avec un vrai pachyderme est flagrante.

· SITUATION ·
A Camprieu, à 50 km à l'est de Millau.

· ACCÈS ·
Par la N 9 depuis Millau, direction Florac
D 907 jusqu'à Meyrueis – D 986 jusqu'à Bramabiau.

Ouvert d'avril à mi-novembre.

· CHEMINS BALISÉS ·
Marche de 15 minutes en sous-bois ;
visite guidée de 50 minutes.

LANGUEDOC-ROUSSILLON – GARD 30

ABÎME DE BRAMABIAU
700 mètres de galeries souterraines

Cette vaste crevasse dans le plateau de Camprieu,
aux allures d'une immense cathédrale gothique,
est l'une des plus belles étapes d'un parcours
de 700 mètres.

En cheminant un petit quart d'heure à pied en sous-bois, on atteint l'entrée de l'Abîme : un hémicycle vivifié par la résurgence du Bonheur, torrent plus ou moins impétueux selon les saisons.

La visite commence ici, au pied des 80 mètres de falaises, véritable symphonie d'ocres brunes et d'argiles versicolores. Après la majestueuse entrée voûtée en cathédrale gothique de 37 mètres de haut, on entre sous terre pour découvrir quelque 700 mètres de galeries. Tantôt sur la rive droite, tantôt sur la rive gauche du Bonheur, les corniches surplombent de multiples cascades au plus profond de la grande diaclase (cassure perpendiculaire aux couches sédimentaires). L'ensemble du parcours est à couper le souffle, Bramabiau n'est décidément pas une grotte comme les autres. Son existence a débuté au fond d'une mer lagunaire il y a 250 millions d'années, par l'accumulation de 150 mètres de calcaire. Il est juxtaposé aujourd'hui au granite par un important jeu de failles où s'insinue vaillamment le Bonheur pour y former un véritable canyon souterrain.

Toute la région est jalonnée de beautés sauvages et authentiques ; pour vous en convaincre, nous vous conseillons de remonter jusque dans les environs de Millau et de partir à la découverte des gorges qui serpentent partout autour : le Tarn, la Dourbie, la Jonte… Plus près de là, le village de Meyrueis a su garder tout son charme d'antan, un endroit où il fait bon séjourner…

CHAOS DE NÎMES-LE-VIEUX
Un labyrinthe de rochers ruiniformes

Dans cette immensité complètement dénudée, on serpente dans un labyrinthe de pierre comme dans les rues d'une ville fossile.

C'est sur le Causse Méjean, entre les hameaux de L'Hom et du Veygalier, que se cachent les plus authentiques rochers ruiniformes de la région des Grands Causses. Bien que récemment aménagé d'un parcours balisé en jaune (randonnée facile) et de quelques plaques pédagogiques, l'endroit est plus sauvage que Montpellier-le-Vieux, sur le Causse Noir. L'eau, naguère très abondante, brille dorénavant par son absence dans ce dédale de pierre. Mais les formes torturées qu'elle a sculptées en ces lieux sont des plus exceptionnelles.

Atteignant de 10 à 50 mètres de haut, certains rochers sont bien plus impressionnants par leur allure que par leurs dimensions. On s'étonne de certains équilibres, on s'émerveille de quelques ressemblances animales… Ici, l'immensité impose sa loi, celle du silence, que seuls quelques bêlements de brebis ou des tintements de cloches viennent rompre. Le paysage est celui des Grands Causses, à la fois désertique et apaisant. Nîmes-le-Vieux est l'un des joyaux du Causse Méjean, le plus haut et le plus rude d'entre eux. Il est séparé du Causse de Sauveterre par les gorges du Tarn, et du Causse Noir par celles de la Jonte.

Le chaos doit ses formes tourmentées à la nature dolomitique de la roche. Proche du calcaire, la dolomie en est une variante plus résistante. Le calcium du calcaire, remplacé par le magnésium dans la dolomie, rend la roche moins soluble dans l'eau. Ainsi, l'érosion ronge préférentiellement les roches les plus solubles.

· SITUATION ·
A Nîmes-le-Vieux, à 20 km
au sud de Florac.

———

· ACCÈS ·
Par la D 907 depuis Florac,
direction Millau – Au hameau Vebron
prendre la petite route qui mène au Chaos
via Villeneuve et du Veygalier.

———

Visite libre toute l'année.

———

· CHEMINS BALISÉS ·
Parcours marqué en jaune, sans difficulté.
Prévoir 1 heure 30.

· SITUATION ·

A Sauve, à 40 km au nord-ouest de Nîmes.

· ACCÈS ·

Par l'autoroute A 9, sortie Nîmes ouest (25)
D 999 direction Saint-Hippolyte-du-Fort
jusqu'à Sauve.

Visite libre toute l'année.

· CHEMINS BALISÉS ·

Sentier de randonnée marqué en jaune
accessible à tous ; escalade balisée en bleu.
Prévoir 2 heures aller-retour.

LANGUEDOC-ROUSSILLON – GARD 30

MER DES ROCHERS DE SAUVE

Dans l'immensité d'un labyrinthe de lapiaz

Star incontestée des paysages de pierre gardois, la Mer des Rochers est véritablement unique. Vaste faubourg naturel de la petite ville médiévale de Sauve, c'est en parcourant ruelles et garrigues que l'on commence à découvrir ses lapiaz monumentaux : des tours aux formes acérées que l'on escalade avec prudence. Aiguisées comme des couperets, les arêtes sculptent chaque centimètre carré de roche en œuvre d'art unique. Pour les adeptes de randonnées plus paisibles, le balisage jaune serpente plus calmement dans ce dédale de pierre, entre d'anciennes murettes pastorales, pour un périple tout aussi insolite.

Lapiaz est le mot latin qui désigne la pierre et c'est le nom que l'on donne aujourd'hui à ces sculptures rocheuses aux formes tranchantes comme des rasoirs. Elles sont l'œuvre du ruissellement des eaux sous glaciers : ces derniers recouvraient encore la France il y 18 000 ans. Pour compléter votre visite dans la région, nous vous conseillons d'aller vous rafraîchir à l'ombre de la bambouseraie de Prafrance à Anduze. Sur une quarantaine d'hectares, quelque 70 000 pieds d'une centaine d'espèces de bambous ont retrouvé là tout le confort de la Chine, leur pays d'origine. Une visite très dépaysante et agréable au plus chaud de l'été.

A voir la chaleur et la sécheresse de ces lieux, on a bien du mal a croire que les lapiaz sont l'œuvre de la glace et de l'eau...

87

ORGUES D'ILLE-SUR-TÊT

La Cappadoce au cœur du Roussillon

Un site haut en couleur à ne manquer sous aucun prétexte... D'autant plus que ces fragiles cheminées des fées aux formes délicates sont presque aussi éphémères que des dunes.

C'est en remontant le cours du Têt depuis Canet-en-Roussillon, que l'on traverse la petite ville d'Ille-sur-Têt, célèbre pour les couleurs lumineuses de ses orgues : de magnifiques cheminées des fées aux teintes jaunes étincelantes se détachent à plus de 30 mètres de haut, sur un ciel bleu azur. Souvent comparées à Brice Canyon aux États-Unis ou à la Cappadoce turque, les Orgues d'Ille-sur-Têt font partie des plus belles créations d'une nature prodigue. Le chemin d'accès au site emprunte le lit d'une petite rivière, à sec durant une grande partie de l'année. L'ombre y est rare et la réverbération rend les rayons du soleil et la chaleur à peine supportables ; chapeau et lunettes sont donc vivement recommandés.

Les sables fins qui constituent ces hautes colonnes improprement appelées Orgues, ont été déposés il y a un peu plus de 4 millions d'années, mais elles sont très éphémères. Longtemps recouvert d'une couche protectrice de galets, le site est aujourd'hui soumis aux plus vives agressions des eaux ruisselantes.

Pour prolonger votre promenade, nous vous conseillons les jardins botaniques de Serrabone (D 618, direction Amélie-les-Bains-Palalda) où une végétation riche et variée est admirablement mise en valeur, ainsi que les quatre réserves naturelles situées autour de Prades et dont le fleuron reste l'alysson des Pyrénées, une espèce unique au monde.

· SITUATION ·
A Ille-sur-Têt, à 25 km à l'ouest
de Perpignan.

———

· ACCÈS ·
Par la N 116 depuis Perpignan,
direction Prades – A Ille-sur-Têt,
D 2 vers Bélesta.

———

Visite libre toute l'année.

———

· CHEMINS BALISÉS ·
Circuit fléché sans difficulté
hormis la chaleur de l'été.
Prévoir 1 heure 30 de visite.

CASCADES DE GIMEL

Un saut de 143 mètres en trois cascades

Ces cascades, en eaux toute l'année et surplombées de magnifiques châtaigniers, sont classées parmi les plus belles de France.

A Gimel-les-Cascades, petit village historique juché sur son promontoire rocheux, deux entrées permettent d'accéder au parc et à ses superbes cascades.

La première, le Grand Saut, chute de 45 mètres. Baignée dans un halo d'écume, ce n'est pas, malgré son nom, la plus haute des trois cascades, mais c'est certainement la plus jolie. Quelques marches à descendre et l'on arrive à la Redole. Une passerelle permet d'y franchir le torrent afin d'observer de face cette deuxième cascade. Il faut ensuite revenir sur ses pas et bifurquer sur la droite pour découvrir la plus impressionnante des chutes : la Queue de Cheval plonge de 60 mètres dans les gorges avant de se jeter dans le Gouffre de l'Inferno.

Ces trois cascades, toutes plus magnifiques les unes que les autres, sont en eaux toute l'année sous l'épais couvert des châtaigniers. Elles doivent leur charme à ces terrains granitiques qui les portent et à ces escarpements anguleux qui les conduisent : des roches dites primaires, nées du magma mantellique de la planète il y a plus de 350 millions d'années.

Ce site grandiose n'a bien sûr pas échappé aux légendes. On raconte que dans le Gouffre de l'Inferno, au bas de la Queue de Cheval, un village entier aurait été englouti. Malgré le tumulte de l'eau, on entendrait encore parfois sonner les cloches de son église…

· SITUATION ·

A Gimel-les-Cascades, à 36 km
au nord-est de Brive-la-Gaillarde.

———

· ACCÈS ·

Par la N 89 depuis Brive-la-Gaillarde
en direction de Tulle — Passé Tulle, suivre à droite
la direction de Gimel-les-Cascades.

———

Ouvert du 01/03 au 31/10.

———

· CHEMINS BALISÉS ·

Circuit fléché, avec quelques dénivelés
aménagés de hautes marches,
dans le parc Vuillier. Prévoir 1 heure.

· SITUATION ·
A Donzenac, à 10 km au nord
de Brive-la-Gaillarde.

———

· ACCÈS ·
Par l'autoroute A 20, sortie
Donzenac nord (47) – Rejoindre Donzenac
par la D 920, puis prendre à gauche
la D 25 jusqu'à Travassac.

Ouvert 01/05 au 31/10.

———

· CHEMINS BALISÉS ·
Visite libre ou guidée le long
d'un circuit fléché accessible à tous.
Prévoir 1 heure au minimum.

PANS D'ARDOISE DE TRAVASSAC

Un filon aux teintes exceptionnelles

Bien aménagé, le parcours sillonne des pans de roche, droits comme des murailles, admirables de grandeur et de couleurs. Ici, pas de teintes lugubres et sombres auxquelles on pourrait s'attendre : la roche s'habille de verts intenses et d'oranges vifs dans des dégradés époustouflants. Entre passerelles suspendues au-dessus d'un puits en eau, sentiers et balcons perchés aux flans des filons, tout est fait pour que vous puissiez apprécier au mieux la majesté et l'ampleur du site. Après l'impressionnant filon de la Puyboene avec ses pans de 60 mètres de hauteur, vous découvrirez la reconstitution d'un ancien chantier ardoisier semblable à ceux qui existaient au début du siècle. Après vous être essayé à la taille de l'ardoise avec un maître ardoisier, la visite se poursuit par la descente au fond du filon de la Jeanguinotte par un escalier de 120 marches (à descendre). En retournant au parking, le Saut de la Girale ponctue admirablement la visite. Le site ne date pas d'hier puisque c'est au XVIIe siècle que débuta l'exploitation des ardoises de Travassac : sept filons parallèles, orientés nord-sud et longs de 2 km, séparés les uns des autres par de hautes parois très dures. L'exploitation a atteint une profondeur maximale de 60 mètres. Rien n'arrêta les ardoisiers, pas même l'eau, puisque les hommes utilisèrent les premières pompes électriques du XXe siècle pour aller chercher la roche au plus profond du sol. De cette rencontre avec la nappe phréatique, il reste désormais trois puits, le plus profond atteignant une centaine de mètres.

Un site vertigineux, désormais rendu à la nature mais aménagé de ponts suspendus et de balcons. Avis aux amateurs de sensations fortes.

· SITUATION ·
A Boussac, à 42 km à l'est de Guéret.

———

· ACCÈS ·
Par la N 145 depuis Guéret, direction Montluçon – D 997 à Gouzon, direction Boussac
Après 12 km, D 67 vers les Pierres Jaumâtres.

———

Visite libre toute l'année.

———

· CHEMINS BALISÉS ·
Circuit fléché sans difficulté. Premiers rochers accessibles en 15 minutes.

PIERRES JAUMÂTRES
Des roches équilibristes

Sur le Mont Barlot trônent ces étranges amoncellements de blocs granitiques aux formes arrondies et souvent posés en équilibre. On en compte une quarantaine, les uns sur les autres, éparpillés en trois chaos réunis par un sentier bien marqué. Le second est remarquable par une superposition de deux blocs ressemblant à un gigantesque champignon et le troisième par un très beau point de vue sur le Berry, au nord, et sur les bocages vallonnés de la Marche, au sud. Nombre de mystères flottent au-dessus de ce site fabuleux. La forme des roches a longtemps intrigué, car de tous ceux que l'on connaissait en Creuse, aucun n'avait ces allures surprenantes et ne semblait à ce point défier les lois de l'équilibre. Aujourd'hui, cette énigme a été résolue : ces boules sont de granite, d'anciens lambeaux de magma établis dans les profondeurs du manteau terrestre, remontés en surface puis érodés par les eaux et le vent.

Étymologiquement, jaumâtre désigne les pierres de fées. On reconnaît dans ce mot le terme *jaum* à rapprocher de *galm*, traduction de pierre en germain et *matre* désignant les déesses-mères romaines.

Pour découvrir la nature creusoise, nous vous conseillons de découvrir les rives de l'étang des Landes, situé à une vingtaine de kilomètres sur la commune de Lussat. Étendu sur 120 hectares, il constitue une zone d'observation ornithologique remarquable durant les périodes de migration.

La clarté des beaux jours fait de ce site un lieu magique où les formes souples de la roche emplissent la lande à bruyère d'une quiétude apaisante.

97

CASCADE ET GOUFFRE D'ENFER

Le toboggan du diable

Dans un écrin de forêt, l'eau de cette cascade
se fait artiste, tombant d'une paroi
qu'elle sculpte sans répit.

L'Auberge du Lys est le point de départ de cette belle randonnée qui débute par un petit tronçon de route goudronnée et s'échappe rapidement sur la droite. Comme dans beaucoup d'endroits où l'eau est vive et abondante, une centrale électrique défigure un peu le paysage mais une courte ascension suffit à l'effacer. Le petit sentier zigzague à travers bois jusqu'à une première cascade. Le spectacle est plaisant, mais ce n'est que plus haut que vous découvrirez les grandioses Cascade et Gouffre d'Enfer.

Tout au long du ru d'Enfer, les teintes de la roche, conjuguées à la limpidité du torrent de montagne, créent une ambiance insolite ; mais c'est en rejoignant le petit pont qui enjambe le sommet de la cascade que l'on prend conscience de la démesure du site. Tout autour, le paysage est exceptionnel : situé à mi-chemin entre l'océan Atlantique et la mer Méditerranée, le Luchonnais est la seule vallée française à compter 13 sommets culminant à plus de 3000 mètres. Ses hautes crêtes constituent la frontière avec l'Aragon espagnol, où se trouve d'ailleurs le plus haut des sommets des « 3000 », l'Aneto (3404 mètres).

La vallée du Lys n'est que l'une des merveilles naturelles de cette vallée. Quatre autres, disposées en éventail autour de Bagnères-de-Luchon, se partagent la vedette. Si vous avez le temps d'en découvrir une autre, choisissez celle du Larboust (direction Oô puis Granges d'Astau). Un sentier mène au magnifique lac d'Oô : 40 hectares et 70 mètres de profondeur.

· SITUATION ·

A Superbagnères, à 12 km au sud
de Bagnères-de-Luchon.

———

· ACCÈS ·

Par la D 46 depuis Bagnères-de-Luchon,
direction vallée du Lys.

———

Visite libre toute l'année.

———

· CHEMINS BALISÉS ·

Sentier large bien marqué avec
un important dénivelé. Prévoir 2 heures 30
aller-retour.

· SITUATION ·
A Cauterets, à 50 km au sud de Tarbes.

———

· ACCÈS ·
Par la N 21 depuis Tarbes-Lourdes
puis Argelès-Gazost – D 920 vers Cauterets.

———

Visite libre toute l'année.

———

· CHEMINS BALISÉS ·
La route mène jusqu'au Pont d'Espagne.
Prévoir 2 heures au minimum.

CASCADES DE CAUTERETS
Une suite de cascades étourdissantes

Au cœur du parc national des Pyrénées occidentales, les cascades de Cauterets ne sont pas seulement réputées pour leur beauté : elles ont aussi d'excellentes vertus curatives.

La vallée de Cauterets est l'une des plus admirables des Hautes-Pyrénées. Elle tire son franc succès d'une surprenante enfilade de cascades toutes plus vigoureuses les unes que les autres, mais également de son thermalisme.

Approchant Cauterets, on commence d'abord par sentir la forte odeur soufrée de l'eau avant même de l'apercevoir. La ville est en effet le siège d'une résurgence d'eaux chaudes sulfurées. C'est du parking des thermes que débute le magnifique sentier des cascades qui relie les cinq chutes. La première cascade est celle du Lutour, une chute en quatre bonds. Les cascades du Cérisey, du Pas de l'Ours et de Boussès lui font suite, et les sentiers sont nombreux qui conduisent à leur pied. La dernière est aussi la plus connue. Elle se situe au bout de la route qui longe le Gave ; 300 mètres de marche au sein d'un site protégé suffiront pour la rejoindre : glissant longuement mais élégamment sur la roche, la chute s'engouffre avec violence et écume sous le Pont d'Espagne qui lui a donné son nom.

Cauterets vient du patois bigourdan *caoutares* qui signifie sources d'eaux chaudes. Leurs vertus curatives ont été exploitées dès la période gallo-romaine. Ce sont ensuite les moines de Saint-Savin qui prirent possession de la vallée et y édifièrent le premier village au XIe siècle. Renommées pour le traitement des maladies respiratoires et rhumatismales, les eaux de Cauterets auraient également des vertus fertilisantes : on les surnomme « Fontaines d'Amour ».

· SITUATION ·

A Gavarnie, à 52 km au sud de Lourdes.

———

· ACCÈS ·

Par la N 21 depuis Lourdes,
direction Argelès-Gazost
D 921 jusqu'à Luz-Saint-Sauveur
puis jusqu'au Cirque.

———

Visite libre toute l'année.

———

· CHEMINS BALISÉS ·

Promenade fléchée, longue et éprouvante
(possibilité de louer une monture).
Il faut compter 2 heures pour atteindre
l'entrée du cirque.

CIRQUE DE GAVARNIE
Le plus fabuleux des « bouts du monde »

D'un diamètre de 800 mètres à la base et de 4 kilomètres au sommet, le cirque de Gavarnie, formidable arène, est dominé par quatre montagnes de plus de 3000 mètres. En plein été, la neige est encore présente dans le fond du cirque, formant des ponts de glace au-dessus des cours d'eau qu'alimentent d'innombrables cascades.

La plus belle du cirque est aussi la plus haute d'Europe ; à partir du mois de mai, les glaciers du Marboré et du Mont Perdu laissent s'échapper les eaux de la Grande Cascade sur 440 mètres dans un fracas d'embruns. Tout autour, les parois se donnent en spectacle, exhibant leurs terrasses ondulées et les crêtes enneigées d'une montagne magique que l'on ne se lassera jamais de contempler.

Le cirque de Gavarnie a de tout temps fasciné ; les mystères de sa formation ont donné lieu à bien des interprétations pour beaucoup invraisemblables : résultat d'une catastrophe sismique, vestiges de grottes sous-marines ou cratère de volcan... Les naturalistes du siècle des Lumières vinrent chercher à Gavarnie la clef du mystère : fonds marins à leurs toutes premières « heures », les sommets qui dominent le cirque se sont vus soulevés par une force tectonique considérable durant l'ère tertiaire.

Emblème du parc naturel national des Pyrénées occidentales, le cirque recèle une flore abondante (400 espèces endémiques). Les fleurs y poussent jusqu'à très haute altitude malgré la brièveté de l'été. Le cirque ne s'apprécie totalement que par temps dégagé : choisissez donc une très belle journée pour vous jeter dans cette aventure.

Unique de par ses dimensions et sa beauté, ce site est classé patrimoine mondial par l'UNESCO. Vous y découvrirez la plus haute cascade d'Europe, spectaculaire et mystérieuse.

GROTTE DU MAS-D'AZIL
Une immense grotte-tunnel

Une grotte qui possède la particularité de se visiter aussi bien en voiture qu'à pied et qui regorge de vestiges préhistoriques.

La grotte du Mas-d'Azil fait figure d'exception : elle se découvre surtout en voiture. L'immense porche de 80 mètres de haut et 60 mètres de large est traversé par la D 119 sur une longueur de 500 mètres.

La grotte et ses abords peuvent aussi se découvrir à pied : afin d'éviter de respirer les gaz d'échappement, nous vous conseillons un petit circuit insolite à l'extérieur. Un étroit sentier démarre du parking, juste à l'entrée du tunnel. Après avoir franchi le portillon, un premier raidillon grimpe sur la gauche. Il monte en lacets, puis longe la vaste voûte de pierre qui surplombe la rivière. De là-haut, une vue plongeante s'offre à vous. Bien qu'impressionnant, ce sentier à flanc de roche n'est pas dangereux (attention toutefois si vous avez de jeunes enfants).

Le site, comme l'ensemble de l'Ariège, est riche de traces d'occupation préhistorique. On sait que les Aurignaciens, Solutréens, Magdaléniens et Aziléens occupèrent ce porche entre -30 000 et - 8 000 ans avant J.-C. Ils s'y succédèrent en laissant des quantités de vestiges, transformant la grotte du Mas-d'Azil en un véritable sanctuaire. La découverte de galets peints a d'ailleurs justifié la reconnaissance d'une nouvelle période préhistorique qui prit le nom de cette grotte : l'aziléen (- 8000 ans avant J.-C.). Nous conseillons aux personnes intriguées par ces vestiges de visiter le musée de la Préhistoire situé en ville (à 2 km).

· SITUATION ·
Au Mas-d'Azil, à 33 km
au nord-ouest de Foix.

———

· ACCÈS ·
Depuis Foix par la D 919, direction Toulouse
D 119 à Pailhès direction Le Mas-d'Azil.

———

Visite libre du tunnel toute l'année ;
grotte préhistorique ouverte
d'avril à novembre.

———

· CHEMINS BALISÉS ·
Pas de balisage. Évitez de traverser
le tunnel à pied durant l'été à cause des gaz
d'échappements ; un sentier très raide monte
au-dessus de la grotte. Prévoir 10 minutes
à pied pour traverser le tunnel et 1 heure
pour le sentier.

· SITUATION ·
A Saint-Pé-de-Bigorre, à 35 km
au sud-est de Pau.

———

· ACCÈS ·
Par la D 938 depuis Pau, direction Lourdes
D 937 jusqu'aux grottes.

———

Ouverture des Rameaux à la mi-octobre.

———

· CHEMINS BALISÉS ·
Visite guidée accessible à tous ;
prévoir 1 heure 30. Promenade en drakkar
et petit train.

GROTTES DE BÉTHARRAM
Le plus vaste réseau souterrain visitable du monde

Les grottes de Bétharram, étendues sur cinq étages, forment l'un des plus vastes réseaux souterrains visitables du monde, le plus curieux également. Chaque salle offre une profusion de concrétions aux formes suggestives que l'on n'a pas manqué de transformer en bestiaire : le Morse, l'Éléphant, le Rhinocéros, la Coquille d'Huître… Ouvertes au public depuis 1902, ces grottes sont assurément les pionnières du tourisme pyrénéen. Elles furent creusées par l'enfoncement progressif d'un cours d'eau souterrain, s'infiltrant toujours plus profondément dans la roche. Le travail de l'eau a laissé une œuvre de toute beauté sur le plafond de la première salle : un méandre fossile y a sculpté la roche en une infinité de molaires, et inscrit la salle, par cette seule originalité, parmi les plus remarquables de France.

Après une longue marche dans la Grande Salle ornée d'un plafond somptueux, dans la Salle des Lustres, puis dans la Galerie, la visite se poursuit en drakkar, sur un lac sous 800 mètres de roches. Aujourd'hui, l'affluence de l'eau n'est plus ce qu'elle était et une grande partie du réseau ne fonctionne plus. Les trois étages supérieurs sont des galeries mortes, seule une lente infiltration des eaux de surface permet à quelques concrétions de poursuivre lentement leur croissance. On enchaîne avec une nouvelle marche au-dessus de la rivière souterraine, puis la visite s'achève en petit train.

La visite de ce sanctuaire souterrain est une attraction aux allures de fête foraine qui ravira les plus jeunes.

SIDOBRE

Cœur de granite

Cette région regorge de merveilles à découvrir absolument : parmi elles, la Peyro Clabado, immense roche qui défie les lois de la nature, et le Saut de la Truite, véritable paradis exotique.

Véritable berceau du métier des tailleurs de pierre, le Sidobre offre un paysage unique en France : la nature y a abandonné des boules de granite aux formes impressionnantes. Le Sidobre, immense table granitique mise en place il y a quelque 300 millions d'années à partir d'un magma en fusion bloqué à plusieurs dizaines de kilomètres de profondeur, représente aujourd'hui un gisement de 10 km de long, de large et de profondeur.

Près de Lacrouzette, la Peyro Clabado défie toutes les lois de la gravité en maintenant 780 tonnes de roche en équilibre sur un socle de seulement 1 m^2 ! L'endroit est magique et, si vous croyez aux légendes, faites un vœu en jetant une pierre au sommet du rocher : et si elle reste dessus, celui-ci sera exaucé…

Non loin de là, le Roc de l'Oie et les Trois Fromages sont également des chefs-d'œuvre de la nature aux formes exceptionnelles. Moins connu que la Peyro Clabado mais tout aussi intéressant, le Saut de la Truite est un site à découvrir absolument. En venant de Castres, c'est un peu après Burlats, un paisible village blotti dans un écrin de verdure au pied du Mont Paradis, que jaillit cette magnifique cascade. Marches et rampes conduisent en peu de temps à un paysage de rêve : les eaux limpides, les formes arrondies des rochers, le ciel bleu du Tarn… on se croirait presque aux Seychelles, le sable fin et les cocotiers en moins, bien sûr. La cascade tombe de part et d'autre d'un imposant bloc de granite et fait une chute d'une quinzaine de mètres avant de s'écraser sur un chaos rocheux et de rejoindre l'Agout, principale rivière du Tarn.

· SITUATION ·
Dans le triangle Vabre-Brassac-Castres.

———

· ACCÈS ·
Par la D 622 depuis Castres,
direction Lacaune.

———

Visite libre toute l'année.

———

· CHEMINS BALISÉS ·
De nombreux sentiers fléchés
(carte disponible à l'Office du tourisme
de Castres), aucune difficulté. Prévoir
une demi-journée pour visiter les différents
sites mentionnés ci-contre.

· SITUATION ·
A Escalles, à 19 km au sud-ouest de Calais.

· ACCÈS ·
Par l'autoroute A 16, sortie n° 10
D 243 jusqu'à Escalles.

Visite libre toute l'année.

· CHEMINS BALISÉS ·
Sentier des Douaniers bien marqué sur la corniche,
accessible à tous. Prévoir 30 minutes
aller-retour au minimum.

CAP BLANC-NEZ

Les plus hautes falaises de la côte d'Opale

Le cap Blanc-Nez est avec son voisin, le cap Gris-Nez, un véritable repaire pour les oiseaux migrateurs, alors, ouvrez l'œil !

Dans ce lieu hautement touristique mais rarement surpeuplé, les indications ne manquent pas pour vous mener au Cran d'Escalles. De là, vous pourrez choisir entre le sentier des Douaniers et la plage. Les deux versions offrent de beaux points de vue mais c'est toutefois depuis le bas que les falaises restent les plus belles. La plage de sable fin qui s'étend à perte de vue permet de mieux jauger les hautes murailles immaculées qui agrémentent cette partie de la côte d'Opale. Éclatantes de lumière, elles s'élèvent à plus de 130 mètres au-dessus du niveau de la mer et apparaissent aussi fragiles que colossales. Par temps dégagé, l'horizon dessine le liseré blanc des côtes de l'Angleterre : elles sont la réplique exacte, en miroir, de la côte d'Opale. Au gré de votre promenade sur la plage, amusez-vous à chercher cet étonnant visage sculpté clandestinement dans la craie. Si vous avez beaucoup de courage, vous pouvez tenter de rejoindre le cap Gris-Nez, situé à 12 km plus au sud. Son architecture est très différente et vaut également une petite visite.

Les assauts répétés de la mer et surtout l'infiltration des eaux de pluie sont fatals aux falaises ; si leur recul est quasiment inexistant à l'échelle humaine, il est pourtant en moyenne de 9 mètres par siècle au cap Blanc-Nez.

MARAIS SALANTS DU MONT-SAINT-MICHEL

Au pays des moutons de prés-salés

A la tombée du jour, le soleil rejoint le sommet du Mont-Saint-Michel pour un duo crépusculaire et baigne la baie et ses méandres de mille nuances cuivrées. Spectacle inoubliable…

C'est dans le hameau des Bas-Courtils que le Mont-Saint-Michel apparaît encore sauvage et que l'on peut prendre toute la mesure de sa baie en se promenant entre les méandres. Mieux vaut choisir une visite à marée basse car les gués sont alors plus facilement franchissables. Les marais salants offrent un paysage de plaine grandiose, haut en couleur, surtout quand on les parcourt en fin d'après-midi. Les lumières rasantes font alors scintiller une multitude de toiles d'araignées étoilées de sel qui donneraient presque l'impression de marcher sur un nuage.

Le Mont-Saint-Michel et sa baie sont tous deux inscrits par l'UNESCO sur la liste des sites du patrimoine mondial culturel et naturel. Sorti des entrailles de la terre il y a 20 millions d'années, le Mont-Saint-Michel domine 25 000 hectares de grèves. Deux fois par jour, la mer couvre et découvre les sables. Certains jours de mars et de septembre, les grandes marées peuvent élever le niveau de la mer d'une quinzaine de mètres.

Charriant près d'un million de tonnes de sédiments par an, l'eau envahit la baie à une vitesse moyenne de 10 km/h : on est loin des 60 km/h du cheval au galop ! Cependant, même sur les marais de prés-salés, ne vous laissez pas surprendre par la marée montante qui remplit les canaux et les rend alors infranchissables.

· SITUATION ·
Aux Bas-Courtils, à 23 km
au sud-ouest d'Avranches.

———

· ACCÈS ·
Par la Route de la Liberté (N 175)
depuis Caen, direction Avranches puis Pontorson
D 976 jusqu'au Mont-Saint-Michel.

———

Visite libre toute l'année.

———

· CHEMINS BALISÉS ·
Il n'existe pas de sentier balisé et il faut se méfier
de ne pas se laisser surprendre par la marée
montante. Prévoir 10 minutes pour atteindre le point
de vue ; 1 heure pour une promenade à travers
les marais salants.

FALAISES D'ÉTRETAT

La côte d'Albâtre, un rempart de craie

Une œuvre d'art 100 % naturelle dont on ne se lasse pas et qui offre, de son sommet, un panorama exceptionnel sur les flots infinis.

Côte d'Albâtre, c'est le nom que l'on donne à ces 140 km de falaises immaculées. Admirable sur toute son étendue, c'est sans nul doute à Étretat que ce décor est le plus grandiose.

Ici, l'architecture de la côte est divine. Pour vous plonger dans cet univers majestueux, vous pouvez emprunter le traditionnel sentier des Douaniers, perché sur la corniche, ou bien opter pour l'aventure en franchissant le tunnel qui se découvre à marée basse. Dans le premier cas, il vous faut rejoindre le haut des falaises par l'escalier situé à gauche de la jetée. Vaste panorama qui embrasse les flots infinis, la Porte d'Aval, immense arche taillée dans le roc, apparaît rapidement. Au large, l'Aiguille d'Étretat, le repaire d'Arsène Lupin, est isolée par les flots. Mais la plus majestueuse des sculptures reste la Manneporte, cette arche de 90 mètres de haut que l'on peut franchir à marée basse en empruntant la plage de galets jusqu'à son extrême gauche ; là, un vaste porche muni d'une échelle marque le début d'un tunnel creusé dans le roc. Il débouche en quelques secondes sur une crique isolée au bas de la Manneporte. Le spectacle y est magnifique et peu connu des touristes… La craie, malgré ce que l'on pourrait croire en voyant l'épaisseur des côtes d'Albâtre, est une roche très rare à la surface du globe, constituée à 90 % des dépouilles calcaires de petites algues unicellulaires, les coccolites.

· SITUATION ·
A Étretat, à 28 km au nord du Havre.

———

· ACCÈS ·
Par l'autoroute A 29, sortie Bolbec
D 910 jusqu'à Fécamp via Goderville
D 925 – D 940 jusqu'à Étretat.

———

Visite libre toute l'année ; attendre
la marée basse pour descendre
sous l'Arche de la Manneporte.

———

· CHEMINS BALISÉS ·
Sentier des Douaniers bien marqué,
avec marches et raidillons, sur la corniche ;
accès au tunnel, par une échelle, réservé
aux connaisseurs. Prévoir 45 minutes aller-retour
pour la corniche ; 40 minutes aller-retour
pour atteindre la crique par le tunnel.

FALAISES DES ANDELYS

Une corniche immaculée au-dessus de la Seine

Ces falaises de pierre blanche qui dominent la Seine sont le repaire de nombreux oiseaux d'eau qui s'y reposent pendant les périodes de migration.

Ici commence la Normandie, dans ce paysage grandiose d'eau et de pierre. En grande partie sur des terrains privés, les accès aux falaises sont rares. C'est par le belvédère de Notre-Dame-de-Bellegarde, à La Roquette, que vous pourrez partir à l'aventure de ces hautes murailles de craie.

Un sentier de Grande Randonnée monte jusqu'au belvédère. La vue y est déjà admirable, mais les plus courageux se faufileront sur un petit chemin dissimulé sur la droite. Il mène en quelques minutes à un réseau de galeries vertigineuses creusées à flanc de falaises à plus de 100 mètres au-dessus des méandres de la Seine ; là le panorama est exceptionnel sur l'enfilade des falaises et le Château Gaillard au loin. Aucun aménagement n'étant prévu pour assurer la sécurité des visiteurs, une extrême prudence s'impose.

Haut lieu de l'histoire, Le Petit Andely porte une forteresse qui se voulait imprenable sous le règne de Richard Cœur de Lion, roi d'Angleterre et duc de Normandie. Un peu plus en retrait de la Seine, la reine Clotilde, épouse de Clovis, avait, six siècles plus tôt, fondé un monastère près de la ville gallo-romaine d'*Andelaum*. Par antériorité, ce quartier a aujourd'hui pris le nom de Grand Andely. Du Petit et du Grand Andely naquit ainsi un pluriel, Les Andelys, où seules les ruines de la forteresse subsistent. Elle fut démantelée en 1603 par Henri IV qui en céda les pierres au cardinal de Bourbon pour son château.

· SITUATION ·

Aux Andelys, à 36 km au nord-est d'Évreux.

————

· ACCÈS ·

Par l'autoroute de Normandie (A 13),
sortie Gaillon (17) – D 316 jusqu'aux Andelys
D 313 vers Le Petit Andely
D 126 jusqu'à La Roquette.

————

Visite libre toute l'année.

————

· CHEMINS BALISÉS ·

Sentier bien marqué (GR) pour rejoindre
Notre-Dame-de-Bellegarde. Aucune difficulté
pour rejoindre le belvédère ; en revanche, parcourir
les galeries avec prudence. Prévoir 20 minutes
pour l'aller-retour au belvédère, 40 minutes
supplémentaires pour les galeries.

· SITUATION ·
A Saint-Léonard-des-Bois,
à 20 km au sud-ouest d'Alençon.

· ACCÈS ·
Depuis Alençon par la N 138 direction Le Mans
D 310 à La Hutte vers Fresnay-sur-Sarthe et suivre l'indication
« Alpes Mancelles » jusqu'à Saint-Léonard-des-Bois.

Visite libre toute l'année.

· CHEMINS BALISÉS ·
Sentiers fléchés avec un faible dénivelé, accessibles à tous.
Prévoir 1 heure 30 au minimum.

PAYS-DE-LOIRE – SARTHE 72

VALLÉE DE LA MISÈRE
Sur les pentes des Alpes Mancelles

La vallée de la Misère, sous la surveillance du parc naturel régional Maine-Normandie, concentre bruyères et ajoncs qui subliment de couleurs les versants escarpés des pierriers.

A Saint-Léonard-des-Bois, la découverte de la formidable vallée de la Misère débute dès le Rocher de l'Engouloir, somptueux belvédère surplombant la Sarthe. A partir de là, les possibilités de parcours sont multiples autour du parc animalier. Tous mènent à un paysage d'exception : un gigantesque pierrier naturel, un impressionnant éboulis qui offre un spectacle haut en couleur. Les plus agiles pourront emprunter le chemin qui serpente sur les pierres, et quel que soit le chemin choisi, nul besoin de revenir sur vos pas, le circuit vous ramènera en ville en vous offrant une autre très belle vue sur la Sarthe et les authentiques bâtisses sarthoises.

C'est au VIIe siècle que le nom d'Alpes Mancelles a été donné à ces escarpements rocheux. Bien que leur altitude ne dépasse guère les 220 mètres, il faut reconnaître que ces « alpes » offrent une ressemblance plus marquée avec les sites de montagnes qu'avec les bocages normands…

L'expression « il gèle à pierres fendre » semble avoir été inventée pour cette vallée de la Misère, puisque ces gigantesques éboulis naturels sont issus des rigueurs glaciaires du début de notre ère qui firent éclater les sols.

CASCADE DE BLANGY
Un havre de tranquillité

Cette petite cascade au charme normand est un lieu idéal pour pique-niquer avant de repartir vers d'autres horizons.

C'est en suivant la direction de l'étang et de la cascade de Blangy, que vous déboucherez sur cette agréable cascade aux portes de la ville d'Hirson. La petite route en sous-bois débouche sur un vaste parking au pied du site.

En amont des chutes, un étang laisse s'échapper son trop-plein sans cesse renouvelé par l'Oise, qui le traverse et serpente dans la région.

La cascade de Blangy est un petit havre de tranquillité, à condition de ne pas vous y rendre le week-end. En semaine, surtout si le temps est un peu gris, tout juste croiserez-vous quelques pêcheurs… C'est sans doute ces jours-là que le site est le plus à son avantage. Les berges sont aménagées d'un petit sentier et de barrières de bois qui permettent une petite promenade fort agréable. Ne vous attendez pas à découvrir des chutes déchaînées au vacarme assourdissant : Blangy est très modeste, mais il en émane un charme particulier auquel les plus poètes d'entre vous ne resteront pas insensibles.

Le site se trouve aux portes de la Thiérache, célèbre région bocagère de l'Aisne où il flotte un doux parfum de Normandie. Dans ces vallées parcourues de rivières qui serpentent entre les massifs forestiers et les haies de bocage, la faune et la flore sont bien représentées. Pour les observer, nous vous conseillons une petite randonnée autour de Bucilly tout près d'Hirson. A vos jumelles !

126

· SITUATION ·
A Hirson, à 45 km au nord-ouest
de Charleville-Mézières.

———

· ACCÈS ·
Par la N 43 depuis Charleville-Mézières
D 963 à Vervins, direction Hirson.

———

Visite libre toute l'année.

———

· CHEMINS BALISÉS ·
Fléchage routier. Site visible
depuis la route.

• SITUATION •
A Amiens, à 43 km au sud-est d'Abbeville.

• ACCÈS •
Par l'autoroute A 16, sortie Amiens centre. En centre-ville,
suivre « Hortillonnages ».

Visite libre toute l'année sur le chemin de hallage ; mini-croisières
sur les canaux du 1/4 au 31/10.

• CHEMINS BALISÉS •
Il n'existe pas de sentier balisé. Prévoir 30 minutes
pour la promenade en bateau, 20 minutes aller-retour
pour le chemin de hallage et 1 heure au minimum pour longer
les rives de la Somme.

PICARDIE – SOMME 80

HORTILLONNAGES D'AMIENS
Au cœur de la Venise picarde

A pied ou en bateau, ce dédale de canaux
que surplombent de magnifiques jardins fleuris
est à découvrir absolument.

De ces lieux calmes et sereins, on ne pourra découvrir qu'une infime partie : les bateaux à cornet, au départ de la Maison des Hortillonnages, ne parcourent en effet qu'un vingtième des 300 hectares de ce dédale de canaux.

Pendant une trentaine de minutes, rieux après rieux (c'est ici le nom que l'on donne aux canaux), les jardins potagers ou fleuris se donnent en spectacle dans une débauche de couleur. Situés en plein cœur de la cité d'Amiens, les Hortillonnages sont un formidable coin de nature domestiquée qui peut également se découvrir à pied. De part et d'autre de la Maison des Hortillonnages, les chemins de hallage permettent une promenade agréable. A gauche, un sentier longe le rieux Malaquis et le rieux aux Galets où passent les barques. A droite, la promenade est plus longue, elle longe les rives de la Somme, ponctuée d'adorables passerelles privées. Au n° 42, l'accès est autorisé aux piétons : une passerelle mène à une parcelle publique et permet l'observation de quelques très beaux jardins. Les plus courageux continueront le long des rives de la Somme vers l'étang, les autres reviendront par le même chemin.

L'existence des Hortillonnages remonte avant l'époque romaine. Leur nom dérive du latin *hortus* qui signifie jardin et fut donné par les soldats de César aux jardins de ces lieux. A l'époque, la Somme alimentait un marais s'étendant au-delà de la cathédrale. Il s'agissait d'une immense tourbière qui fut longtemps exploitée. L'exploitation a cessé et ce sont aujourd'hui trois écluses qui régulent le niveau des eaux dans quelque 55 km de canaux, isolant une multitude de jardins fleuris ou maraîchers.

· SITUATION ·
A 10 km à l'ouest de Niort.

· ACCÈS ·
Par l'autoroute A 10, sortie Niort
Rejoindre Coulon par la D 9 puis la D 1.

Visite libre toute l'année.

· CHEMINS BALISÉS ·
Nombreux sentiers de randonnée (5 boucles de GR,
70 km de pistes pédestres). Parcours pédestre sans difficulté ;
parcours en barque ou canoë de 2 heures à la journée.
Prévoir une demi-journée au minimum.

POITOU-CHARENTES – DEUX-SÈVRES 79/CHARENTE-MARITIME 17/VENDÉE 85

MARAIS POITEVIN

Dans les dédales de la Venise verte

Colonisé par les iris, les nénuphars, les roseaux, les lentilles d'eau et plus de 500 autres espèces végétales, ce marécage vous procurera sérénité et dépaysement.

Comment ne pas tomber amoureux de cette nature bocagère qui nous fait découvrir, sous des voûtes luxuriantes, une merveilleuse symphonie de verts ? Ici, tout n'est que calme au fil d'une eau toujours paisible : le bel ordonnancement des arbres qui se succèdent, la douceur tamisée de leurs ombrages, l'épais tapis de lentilles d'eau, la nonchalance des troupeaux de vaches paissant…

Le Marais se découvre soit à pied, soit en barque ou en canoë par les canaux. Bien que les deux versions aient leur charme, la seconde est plus dépaysante ; les embarcadères fleurissent un peu partout. En dépit des apparences, vous trouverez facilement votre chemin à travers ces 15 000 hectares de marais mouillés ; les canaux, qui se nomment ici des conches, sont balisés et portent des noms comme des rues : conche à Château, conche Bergère, conche des Cabanes….

Les origines du plus vaste des marais atlantiques remontent à l'an 600. Le golfe des Pictons et la mer poitevine recouvraient alors cette région, lieu de convergence de cinq cours d'eau. Largement alimentées en alluvions, il ne fallut pas longtemps pour que les eaux isolent une lagune. De moins en moins sous influence marine, le site devint tour à tour marécage, vasière, saline et enfin prairie modelée par l'homme. La patience et la pugnacité des moines cisterciens, puis le savoir-faire des ingénieurs hollandais qui ont su se faire les alliés de la nature, ont soustrait ces terres à la mer.

PORTES D'ENFER
Dans l'agitation du Val de Gartempe

C'est une agréable marche dans les sous-bois de la Gartempe qui conduit aux Portes d'Enfer, un chaos de gros blocs granitiques où la rivière se transforme en un spectaculaire torrent. Nombreux sont les promontoires qui permettent de surplomber le site, mais le plus impressionnant reste le dernier, dominant la rivière d'une trentaine de mètres. C'est là que le nom du site prend tout son sens : deux impressionnants blocs rocheux se font face à la manière d'un portail, celui de l'enfer, dit-on… L'agitation des eaux dans cet environnement rocheux est d'une admirable sévérité et donne un cachet tout à fait unique au site. Après ce dernier panorama vertigineux, le retour se fait par le même chemin.

Le val de Gartempe est véritablement un paradis pour les naturalistes. Sur les rives des Portes d'Enfer, ce ne sont pas moins de 335 espèces végétales qui ont été recensées, autant d'inflorescences qui font de ce site un lieu d'exception. Il faut dire que le val contient, à lui seul, 90 % des zones protégées du département.

Témoins d'une époque durant laquelle une chaîne montagneuse recouvrait une grande partie de la France, ces blocs rocheux qui encadrent des eaux tumultueuses offrent un paysage très contrasté.

SOURCE DE LA TOUVRE

Une résurgence d'eau turquoise

*Des eaux limpides et turquoise qui jaillissent,
tourbillonnent ou s'échappent à gros bouillons…
cette source vous étonnera par la diversité
de ses visages.*

Située à proximité immédiate de la ville de Touvre, la source est d'autant plus facile à trouver qu'elle est parfaitement indiquée. Au premier abord, le site se présente comme une étendue d'eau banale. Mais son originalité est d'abriter la deuxième plus importante résurgence de France (après la Fontaine de Vaucluse). Elle compte trois sources principales : le Bouillant, le Dormant et le Fond de Lussac. Deux d'entre elles sont facilement observables depuis les berges. L'une se situe à l'extrême droite du plan d'eau, dans un renfoncement entouré d'ifs. Les eaux y jaillissent, limpides et turquoise, en tourbillon depuis le fond. L'autre, plus sombre, s'échappe à gros bouillons un peu plus loin sur la gauche. Ses eaux sont captées en profondeur pour la consommation. Ces deux résurgences sont vraiment impressionnantes à observer…

Les eaux s'insinuent dans les fissures du karst charentais au profit d'une rivière au parcours souterrain encore mystérieux. Le mot *touvre* explicite lui-même le phénomène puisqu'il signifie gouffre en celtique. Nombreux sont les plongeurs que l'on voit descendre inspecter le boyau, mais l'abondance et l'irrégularité du débit empêchent toute exploration en profondeur.

Le bassin qui recueille les eaux des sources offre, selon les saisons, des allures très contrastées, en se parant d'une épaisse végétation aquatique entre juin et septembre, excepté là où l'eau bouillonne. L'endroit est un lieu d'observation privilégié : nombreux sont les cygnes et autres oiseaux d'eau, mais les ragondins, peu farouches, y restent les plus attendrissants.

· SITUATION ·
A Touvre, à 8 km à l'est d'Angoulême.

———

· ACCÈS ·
Par la D 699 depuis Angoulême en direction
de Touvre ou Montbron.

———

Visite libre toute l'année.

———

· CHEMINS BALISÉS ·
Suivre les indications routières. Le site est
à seulement 5 minutes à pied du parking.

· SITUATION ·
A Cassis, à 22 km au sud-est de Marseille.

————

· ACCÈS ·
Par l'autoroute A 50, sortie Cassis (9)
D 559 jusqu'à Cassis.

————

Visite libre toute l'année.

————

· CHEMINS BALISÉS ·
Sentier bien marqué et fléché ; sans difficulté
pour Port-Miou (10 minutes), mais réservé
aux plus agiles pour Port-Pin (30 minutes)
et En-Vau (1 heure 15).

CALANQUES DE CASSIS
Une émeraude dans un écrin de dentelle

Niché dans un site de charme, Cassis ravira tous les amoureux de paysages somptueux. Bien qu'une flottille de navires propose de découvrir les trois plus proches calanques par la mer, il est également possible de s'y rendre partiellement à pied. Depuis le centre-ville, tous les chemins partant vers l'ouest mènent aux calanques. Les deux moyens sont complémentaires et nous ne saurions conseiller l'un plutôt que l'autre. Très vite, Port-Miou apparaît sur la gauche. C'est la plus ouverte et la plus longue des calanques ; elle se termine par un port de plaisance très convoité. Une vingtaine de minutes suffisent ensuite pour se plonger dans la plus étroite, celle de Port-Pin, qui doit son nom aux pins qui lui font encore de l'ombre. Et en 1 heure 15 de marche, c'est celle d'En-Vau qui s'offrira à vous : profonde et très encaissée entre ses parois verticales, c'est sans nul doute la plus fascinante et la plus sauvage.

Le paysage des calanques est « très récent », puisque ce joyau n'a pris sa forme « définitive » que depuis 6 000 ans, quand le niveau de la mer était 130 mètres plus bas, à quelque 10 km de la côte actuelle. Les calanques étaient alors des vallées fluviales ; elles sont aujourd'hui devenues des échancrures étroites et plus ou moins profondes, bordées de falaises abruptes.

Dans un site fascinant de beauté et de variété, ces falaises immaculées aux formes tourmentées, qui se reflètent dans les eaux profondes d'une mer turquoise, offrent une merveilleuse promenade.

· SITUATION ·
Dans le triangle Arles – Salin-de-Giraud
Saintes-Maries-de-la-Mer, à 30 km au sud-est
de Nîmes.

· ACCÈS ·
Par l'autoroute A 54, sortie Arles
D 36 vers Salin-de-Giraud puis D 570
vers Saintes-Maries-de-la-Mer.

Visite libre toute l'année dans les sites non privés.

· CHEMINS BALISÉS ·
De nombreux sentiers, accessibles à tous,
balisent ce site. Prévoir une journée
au minimum.

CAMARGUE

Une région à fleur d'eau, secrète et impénétrable

Chevaux fougueux sur fond de ciel rougeoyant, majestueux regroupements de flamants roses, vastes manades où paissent d'impressionnants taureaux… autant d'images qui symbolisent la grandeur de cette région à fleur d'eau. Bien au-delà de ces clichés déjà fort séduisants se cache un monde tout à la fois sauvage et secret, impénétrable et accueillant.

Nombreux sont les sentiers de randonnée qui jalonnent la Camargue, la découpant en autant de parcelles aux ambiances d'une grande diversité : la digue, séduisante par son ouverture sur le large ; les « sansouires », fabuleux domaines des marais et des réserves ; les salines, paysage de dômes immaculés et de bassins rosés…

Ici plus qu'ailleurs les eaux de la Méditerranée et le ciel se confondent dans une intimité crépusculaire qui invite à la plus douce rêverie. Pour découvrir cette terre de séduction, plusieurs pôles permettent de pénétrer plus encore cette lagune côtière : les domaines de la Palissade et de la Capelière où sont rassemblées faunes et flores de Camargue ou bien encore les marais salants de Salin-de-Giraud traversés par un petit train salinier.

Sur cette terre sauvage et préservée, à fleur d'eau, le cheval et le taureau sont rois et des milliers d'oiseaux séjournent en toute quiétude.

· SITUATION ·

A Névache, à 17 km au nord de Briançon.

———

· ACCÈS ·

Par la N 94 depuis Briançon en direction de Montgenèvre
N 94g vers Névache – D 301.

———

Visite libre toute l'année.

———

· CHEMINS BALISÉS ·

Sentier fléché sans difficulté. Prévoir 10 minutes aller.

CASCADE DE FONTCOUVERTE, VALLÉE DE LA CLARÉE

Les eaux du paradis

Dans cette vallée on ne peut plus sauvage
que dévale un splendide torrent de montagne
entre les mélèzes, on s'attendrait presque
à se retrouver nez à nez avec un ours !

Peut-être par égoïsme, mais aussi dans un naïf souci de préservation, nous avons hésité à parler de cette formidable vallée. A quelques pas de la frontière italienne, c'est dans le petit village de Névache que coulent en cascade les eaux limpides de la Clarée. Ici, tout vit à son rythme. Difficile de trouver plus somptueux paysage.

Cette vallée incarne tout l'imaginaire de la montagne dans ce qu'elle a de plus pur et de plus authentique. Ici, pas de remonte-pentes ou de lignes électriques pour défigurer le paysage, tout juste quelques discrets sentiers, comme celui qui mène à la cascade de Fontcouverte. Il démarre sur la gauche de la petite route qui traverse Névache en direction des chalets de Laval. Le sentier continue de serpenter sur les rives de la Clarée, à l'ombre bienfaisante des mélèzes. C'est un petit paradis à préserver absolument. Malgré l'admirable charme du site aux premières floraisons du printemps, les teintes jaune-orangé des mélèzes durant le mois d'octobre confinent ce paysage au grandiose : un véritable régal pour les yeux.

Pour vous imprégner de l'histoire de la vallée, découvrez *Une soupe aux herbes sauvages*, le récit autobiographique d'Émilie Carles. Vous y partagerez l'aventure de sa vie d'institutrice de montagne et celle de sa lutte pour préserver, encore aujourd'hui, l'authenticité de la vallée de la Clarée.

· SITUATION ·
A Rustrel, à 65 km à l'est d'Avignon.

———

· ACCÈS ·
Par la N 100 depuis Avignon jusqu'à Apt
D22 direction Sault.

———

Visite libre toute l'année.

———

· CHEMINS BALISÉS ·
Sentier fléché et bien marqué, sans difficulté
(succession de petits montées et de descentes).
Prévoir 1 heure 30 de circuit au minimum.

COLORADO PROVENÇAL DE RUSTREL

Les montagnes de feu du colorado provençal

De couleur et de luminosité comparables, Rustrel est la plus vaste et la plus diversifiée des carrières d'ocre vauclusiennes. Son circuit, le plus long, séduira davantage le randonneur. L'eau qui coule en ce site ajoute à l'élégance colorée un charme supplémentaire. Après une marche sous couvert forestier, la douce pénombre boisée fait place au Colorado, éclatant de lumière et de mille nuances flamboyantes. Le site est exceptionnel de grandeur et de couleurs. Après avoir déambulé au plus profond du canyon dans la poussière des ocres, un sentier permet d'accéder à une cascade au débit variable, puis de s'élever au-dessus du cirque de Bouvène pour surplomber les éperons colorés. Encore tout auréolée des couleurs exotiques, cette merveilleuse balade s'achève dans la garrigue provençale, afin de se réhabituer en douceur à des teintes plus communes en nos régions. Les couleurs feu de ces ocres volatiles sont dues aux oxydes et aux hydroxydes de fer et de manganèse contenues dans le sédiment. Ces pigments étaient déjà utilisés par les hommes préhistoriques comme peinture pour décorer leurs cavernes.

Si vous tombez amoureux de ces paysages d'ocre, la ville de Roussillon abrite elle aussi une ancienne carrière, aux vallons tout aussi colorés, qui mérite une petite visite.

Ces carrières vous plongeront dans un décor inhabituel en France : des allures de canyons dignes des plus grands du Colorado.

· SITUATION ·
A Théus, à 18 km au sud-est de Gap.

——————

· ACCÈS ·
Par la N 85 depuis Gap, direction Sisteron
Bifurquer sur la D 900e vers Tallard puis Barcelonnette
D 53 vers Théus.

——————

Visite libre toute l'année.

——————

· CHEMINS BALISÉS ·
Discret fléchage bleu sur la droite
de la route ; descente et remontée difficiles.
Prévoir 30 minutes aller.

PROVENCE-ALPES-CÔTE D'AZUR – HAUTES-ALPES 05

DEMOISELLES COIFFÉES DE THÉUS
D'incroyables danseurs pétrifiés

L'aventure commence sur la petite route pittoresque qui traverse le village de Théus et mène, en lacets parfois difficiles (jusqu'à 18 % de pente), à celle que l'on nomme la Salle de Bal. Le spectacle qui se cache au fond du vallon est réellement exceptionnel. De gigantesques colonnes ressemblant à des bougies surmontées d'une calotte : telles se présentent les Demoiselles coiffées de Théus.

D'autres sites du même type existent dans les Hautes-Alpes, mais aucun ne présente cette concentration. C'est de cette abondance de figures que le site tire son nom : les colonnes, semblant « regarder » toutes dans la même direction, ont l'aspect d'autant de cavaliers cherchant une cavalière pour danser. Le sentier serpente au fond du vallon en bordure de rivière et permet de découvrir de plus près les coulisses de ce paysage insolite fait de rochers en équilibre à près de 15 mètres du sol.

Celles que l'on nomme aussi les « cheminées de fées » sont de bien curieuses structures géologiques. La plupart d'entre elles se forment à partir d'anciennes moraines glaciaires (des masses de sables), de graviers et de blocs, transportées jadis par les glaciers.

Le mélange hétérogène résiste mal à l'érosion et le site est fragile. Les sédiments meubles sont facilement emportés. Cependant, de fines particules se trouvent parfois protégées par un bloc qui, comme un parapluie, la soustrait à l'érosion des pluies.

Ce site merveilleux et insolite par ses rochers en équilibre à 15 mètres du sol jouit en plus d'un ensoleillement exceptionnel et d'une atmosphère sereine qui rendront votre promenade inoubliable.

· SITUATION ·
A Saint-Raphaël, à 35 km au sud-ouest de Cannes.

· ACCÈS ·
Par l'autoroute A 8, sortie Fréjus – Saint-Raphaël
D 37 jusqu'à Valescure – Route du Pic de l'Ours.

Visite libre toute l'année.

· CHEMINS BALISÉS ·
Sentier noté « Source de Sainte-Baume »
accessible à tous. Prévoir 30 minutes aller.

PROVENCE-ALPES-CÔTE D'AZUR – VAR 83

FORT SAINT-HONORAT-D'ESTÉREL
Une place forte au cœur de l'Estérel

Au coucher du soleil, cette roche rougeoyante
d'origine volcanique se pare de couleurs sublimes
et offre un paysage magique.

Nombreux sont les chemins qui permettent de découvrir le splendide massif de l'Estérel, mais le Fort est véritablement le meilleur des points de vue pour admirer ce paysage rougeoyant d'une âpreté extraordinaire. Ici, toute l'agitation de la corniche disparaît pour faire place au calme de l'immensité, et l'Estérel révèle ses formes déchiquetées et son étonnante palette de couleurs : le rouge de la roche volcanique tranche violemment avec le vert de la garrigue et le bleu azur du ciel et de la Méditerranée.

Autrefois recouvert d'une vaste forêt, le massif de l'Estérel originel a disparu, ravagé par les nombreux grands incendies (1943, 1964, 1986…). Aujourd'hui, c'est le maquis qui domine, composé pour une large part d'une végétation buissonnante : bruyère, lavande, genêt épineux… qui protègent le massif de l'érosion. Pour le reste, ce sont quelques chênes-lièges qui ont été replantés et également quelques pins maritimes, mais l'espèce est touchée par une maladie qui l'empêche d'atteindre sa maturité.

Nous vous conseillons également de poursuivre jusqu'à la Corniche pour y voir l'Estérel plonger dans la mer au niveau d'admirables criques sauvages.

· SITUATION ·

Entre le pont de Carejuan et le lac
de Sainte-Croix, à 12 km au sud-ouest
de Castellane.

————

· ACCÈS ·

Par la D 23 (04) ou la D 955 (83)
depuis Castellane.

————

Visite libre toute l'année.

————

· CHEMINS BALISÉS ·

Sentier Martel à découvrir à pied et plus
ou moins difficile en fonction de la longueur
de la portion empruntée. La route des crêtes
se parcourt en voiture. Durée très variable :
de 2 heures à plusieurs jours.

PROVENCE-ALPES-CÔTE D'AZUR – HAUTES-ALPES 05

LAC VERT

Un joyau émeraude au cœur des Alpes

C'est au cœur de la Vallée Étroite, près de Névache, sur la route du col de l'Échelle, que se cache ce joyau émeraude. Entre la France et l'Italie, sous le mont Thabor (3181 mètres). Ce lac est autant italien que français, mais nous n'avons pas résisté au plaisir de vous le faire découvrir. Le spectacle y est merveilleux : un vrai lagon aux couleurs uniques. Sous le soleil, ses eaux vertes sont éclatantes et contrastent avec les teintes habituelles de la montagne. Des troncs de pins, abattus par les vents et les mouvements de terrain, gisent, couchés de tout leur long, dans des eaux étonnamment limpides. De petits chemins permettent de descendre sur les berges et d'en faire le tour, un vrai régal…

Ici, le ciel des Hautes-Alpes, bien que souvent d'un bleu azur, n'est pour rien dans la coloration des eaux ; c'est une algue d'eau douce, fine et visqueuse, qui confère à ce lac une originalité très esthétique.

Les routes briançonnaises recèlent de nombreuses autres merveilles hautes en couleur : au fil de la route des cadrans solaires, vous découvrirez quelque 400 œuvres (214 d'entre elles datent d'avant 1914). Ces cadrans ont été peints avec des pigments naturels : ocre jaune, rouge d'oxyde de fer, terre de Sienne, noir d'os calcinés, vert d'oxyde de chrome… Ils mesurent l'heure solaire vraie grâce à l'ombre portée par le « style » ou « gnomon ». Bien que nos montres indiquent la même heure d'un bout à l'autre de la France, il y a environ 40 minutes d'écart entre l'heure solaire des Alpes et celle de la Bretagne !

Sur le chemin des cadrans solaires du Briançonnais, un lac vert émeraude d'une beauté et d'un éclat rares et précieux.

· SITUATION ·
A 14 km au nord de Digne-les-Bains.

———

· ACCÈS ·
Par l'autoroute A 51, sortie Peyruis (20)
N 85 jusqu'à Digne – D 900a vers Barles.

———

Visite libre toute l'année.

———

· CHEMINS BALISÉS ·
Aucun, le site est visible depuis la route.

PROVENCE-ALPES-CÔTE D'AZUR – ALPES-DE-HAUTE-PROVENCE 04

ROBINES DU LIMAN
Un paysage lunaire échoué en Provence

D'une originalité surprenante, les Robines apparaissent comme des îlots de charbon échoués au milieu des falaises dorées qui forment le paysage alentour. L'endroit n'était recensé dans aucun guide, il est pourtant extraordinaire.

De part et d'autre de la route qui mène de Digne vers les Clues de Barles, des monticules noirs exposent leurs formes arrondies aux lumières provençales (ceux qui sont situés sur la droite, à environ 2 km avant l'entrée des Clues, au pied des crêtes du Liman, ont notre préférence). D'une douceur cotonneuse, les reliefs, presque entièrement dénudés de végétation, prennent l'allure de déserts arides. La roche, craquelée en multiples paillettes, accuse les effets du climat, mais plonge le décor dans un environnement lunaire. Les teintes de ces dunes évoquent par bien des aspects les paysages miniers du nord de la France. Pourtant ici, nulle exploitation possible : ces petits vallons sont abandonnés à leur propre sort, au comble de la sauvagerie naturelle. Sculptant leurs sommets en dômes parfaits, l'eau semble bien être leur seul maître d'œuvre.

Partout autour, les falaises calcaires déposées par la mer chaude du jurassique dominent le paysage des Alpes-de-Haute-Provence. Ici, le blanc fait place au noir des vasières littorales du crétacé. De par leurs propriétés de faible résistance à l'érosion, les Robines sont des paysages très fragiles et relativement éphémères.

Entre les parcs du Lubéron et du Mercantour dotés d'une végétation verte et luxuriante, ce paysage lunaire, noir charbon, semble jaillir de nulle part.

ROCHERS DES MOURRES

Des champignons géants en plein désert provençal

Des rochers en forme de champignons qui semblent sortir de terre et qui, par beau temps, se parent d'un blanc immaculé qui provoque une réverbération aussi intense qu'un paysage enneigé.

C'est près de Forcalquier que se dressent, à proximité de la route, ces bien curieux édifices calcaires. Dans le maquis provençal, ces monticules de 1 à 4 mètres semblent sortir de terre comme des champignons. Bien que certains soient rapidement visibles depuis la route, nous vous conseillons de ne pas vous arrêter aux premiers rochers que vous apercevez, mais de continuer jusqu'à un chemin de terre très mal carrossé qui s'élève sur la gauche, entre deux virages. De là, le dédale se parcourt en tous sens, selon une direction aussi aléatoire que le sont les formes environnantes. Les rochers rivalisent d'originalité par leurs dimensions, leurs postures, mais aussi leurs couleurs : le blanc côtoie mille nuances de gris et se pare de lichens multicolores. Boules, pitons, arches et couloirs étroits sont autant de créations singulières qui rythmeront votre promenade sur les terres chaudes de la Provence.

Déposés il y a quelque 25 millions d'années, les calcaires de la région des Mourres ont ceci d'original qu'ils n'ont pas été déposés par la mer mais ont été piégés par une végétation de marécage. Les multiples buttes qui forment ce paysage sont, en effet, liées à la présence d'anciens îlots à la végétation abondante, proche des herbiers marins.

Si vous aimez les fleurs, rendez-vous dans les jardins du prieuré de Salagon, à Mane, près de Forcalquier, où trois jardins permettent d'admirer quelque 700 espèces végétales aux parfums typiquement provençaux.

· SITUATION ·
A Forcalquier, à 45 km à l'ouest d'Apt.

———

· ACCÈS ·
Par l'autoroute A 51, sortie La Brillanne
N 100 jusqu'à Forcalquier
D 12 en direction de Fontienne.

———

Visite libre toute l'année.

———

· CHEMINS BALISÉS ·
Sentiers discrets, bien marqués
entre les rochers, accessibles à tous.
Prévoir 20 minutes au minimum.

· SITUATION ·
A Chamonix, à 30 km
à l'est de Sallanches.

———

· ACCÈS ·
Par l'autoroute A 40 jusqu'à Chamonix
Mont-Blanc.

———

Visite libre toute l'année.

———

· CHEMINS BALISÉS ·
Néant. Prévoir 1 heure au minimum.
Attention à la température parfois très basse
au sommet.

AIGUILLE DU MIDI
Une ascension unique en France

Pour atteindre le sommet de l'Europe, il n'existe qu'un seul mode de transport : le téléphérique du Mont-Blanc, qui vous mène en 8 minutes à une altitude de 3 842 mètres, au sommet du Mont Aiguille, une puissante pointe hirsute en granite de l'ère primaire. Abstraction faite du vent glacé qui peut souffler à cette altitude (on perd 0,5 °C/100 m, il fait 14 °C de moins qu'en bas !), c'est un merveilleux paysage qui s'étend alors à perte de vue, dans un silence étonnant. L'inaccessibilité de ces hauteurs force le respect et c'est avec humilité que s'admirent les puissantes aiguilles et les neiges éternelles. De là-haut se découvre bien sûr le toit de l'Europe, le majestueux Mont-Blanc culminant à 4 807 mètres, mais aussi les Aiguilles Rouges, les Grandes Jorasses et les 101 glaciers qui recouvrent le massif. C'est sans aucun doute le site le plus grandiose de la montagne française. Autour, les glaciers du Mont-Blanc s'appellent Bossons, Mer de Glace ou encore Bionnassay et se découvrent à pied, en télésiège ou en petit train. Leurs coulées bleutées aux dimensions titanesques confèrent à la vallée de Chamonix un charme et une majesté étourdissants.

Du haut de cette gigantesque aiguille, des sommets immaculés s'étendent à perte de vue sous un ciel infini et dans un silence qui invite à la méditation.

· SITUATION ·
A Orgnac, à 40 km au nord-est d'Alès.

· ACCÈS ·
Par la D 904 depuis Alès jusqu'à Saint-Ambroix
D 51 puis D 979 jusqu'à Barjac
D 176 vers Orgnac-l'Aven.

Ouvert du 1er mars au 15 novembre.

· CHEMINS BALISÉS ·
Visite guidée d'environ 1 heure ; 788 marches.

AVEN D'ORGNAC
Somptueux dédale !

Soit en descendant à la verticale par le puits d'entrée, à la manière des premiers explorateurs, soit en empruntant, plus classiquement, l'ascenseur, la découverte de l'Aven d'Orgnac est l'une des plus fascinantes de France. 788 marches permettent d'accéder à ce gouffre qui s'ouvre sur des profondeurs féeriques. Comment ne pas être émerveillé par cette immense salle où se dressent une forêt de palmiers minérale et des buffets d'orgues majestueux ? Par un admirable jeu de lumière, l'incroyable richesse des concrétions prend ici valeur de symbole.

Si la grotte est remarquable par l'immensité des salles, elle l'est aussi par la dimension de ses concrétions : certaines atteignent 23 mètres de hauteur ! D'anciennes stalagmites brisées par un tremblement de terre durant l'ère tertiaire atteignaient parfois 10 mètres de diamètre ; elles sont malheureusement en partie recouvertes aujourd'hui. Piles d'assiettes, palmiers, baïonnettes, orgues, cierges et pommes de pin sont autant de termes qui qualifient ici la féerie de ces décors cavernicoles. Dans un tout autre registre, nous vous recommandons de compléter la visite de cette forêt minérale par celle d'une authentique forêt aux essences végétales : le bois de Païolive, près de la ville des Vans. La végétation méridionale y côtoie un dédale de rochers aux formes aléatoires ; le sentier de la Vierge de Malbosc, en particulier, offre un véritable dépaysement.

Découvert par hasard en 1935, cet aven de 50 mètres de profondeur dévoile ses merveilleuses concrétions dans un admirable jeu de lumière.

CASCADE DU RAY-PIC

La plus belle cascade de l'Ardèche volcanique

Une cascade qui fait scintiller la roche volcanique et la transforme en un miroir géant sur lequel rebondit une multitude de petites gerbes écumeuses.

L e sentier surplombe le ravin de la Bourges avant de descendre à travers un sous-bois de hêtres. Au bout du chemin, une très belle chute d'eau de 35 mètres de haut ponctue la descente : phénomène relativement rare en France, les eaux jaillissent d'un ancien volcan. Les prismes verticaux de la roche volcanique confèrent à la paroi l'élégance d'un orgue de cathédrale où rebondissent une multitude de petites gerbes écumeuses. La couleur et les formes déchiquetées du basalte procurent au site une bien étrange sévérité. Pourtant, l'endroit exulte de mille éclats et quand l'eau transforme en miroir ces multiples prismes, l'imaginaire y voit plutôt les fantaisies d'un feu d'artifice pétrifié. Le basalte de la cascade du Ray-Pic a été émis par le volcan des Fialouses il y a quelques dizaines de millions d'années. Il est possible d'admirer la cascade sous différents profils, mais gare aux glissades.

Outre la cascade du Ray-Pic, l'Ardèche offre quelques autres très beaux paysages volcaniques tels les rives du lac d'Issarlès, parfaitement circulaire, ou bien la célèbre source thermale de Vals-les-Bains jaillissant du sol toutes les 6 heures. Des gaz sous pression dans le sous-sol y propulsent l'eau fortement soufrée jusqu'à 16 mètres de hauteur !

· SITUATION ·
A Saint-Pierre-d'Entremont,
à 25 km au sud de Chambéry.

———

· ACCÈS ·
Par la D 912 depuis Chambéry,
direction Saint-Pierre-de-Chartreuse
Saint-Pierre-d'Entremont.

———

Visite libre toute l'année.

———

· CHEMINS BALISÉS ·
Chemins bien tracés. Fond du cirque accessible
à tous, sentier des cascades en forte montée,
source du Guiers Vif réservée aux plus habiles
(*via ferrata*). Prévoir 30 minutes pour le fond
du cirque, 2 heures pour rejoindre la dernière
cascade et 3 heures pour la source du Guiers Vif.

CIRQUE DE SAINT-MÊME

Les cascades du « bout du monde »

Trois somptueuses cascades font de ce site l'un des plus admirables de France, accessible par de nombreux sentiers aménagés. Le fond du cirque est parcouru de petits rus déambulant entre pelouse et sous-bois. De part et d'autre de cette vaste aire de repos, des sentiers s'enfoncent en lacets au plus profond du cirque, et permettent d'accéder à des parois rocheuses aux dimensions impressionnantes. Le sentier des cascades s'aventure au pied des différentes chutes d'eau du vaste hémicycle, toutes plus puissantes et élégantes les unes que les autres. Seules les personnes agiles pourront rejoindre la source du Guiers Vif par un passage aérien et parfois périlleux (équipé de chaînes), mais de là-haut, c'est l'ensemble du cirque que l'on découvre comme vu du ciel : divin… Là, le fond du cirque n'est pas encore tout à fait atteint ; une grotte hors balisage s'ouvre dans la falaise et permet de franchir au moyen d'échelles, de rampes et de chaînes, deux ressauts rocheux et de se plonger dans cette ambiance exceptionnelle de bout du monde. Ici, le chemin s'arrête : le haut plateau calcaire reste à tout jamais infranchissable…

Dans ce vaste hémicycle aux allures de bout du monde, trois cascades plus éblouissantes les unes que les autres se partagent la vedette.

· SITUATION ·
A Sixt-Fer-à-Cheval, à 24 km à l'est de Taninges.

· ACCÈS ·
Par la D 907 depuis Taninges, direction Samoëns
puis Sixt-Fer-à-Cheval.

Visite libre toute l'année.

· CHEMINS BALISÉS ·
Circuit bien marqué accessible à tous. Prévoir
50 minutes pour atteindre le fond du cirque.

CIRQUE DE SIXT-FER-À-CHEVAL

Classé Grand Site national

C'est au nord du Mont-Blanc, à 765 mètres d'altitude, que s'étend le deuxième plus grand cirque montagneux de France après le cirque de Gavarnie. Bouclant l'est de la vallée du Giffre, c'est un hémicycle de 500 à 700 mètres de hauteur et de 4 à 5 km de développement. Un très agréable sentier parcourt le fond de la combe, dominé par la « Corne de Chamois » à 2 985 mètres. Le spectacle de ces cascades bondissant des parois vertigineuses est unique, on en compte jusqu'à une trentaine au mois de juin. Impossible de ne pas succomber au charme de ces lieux : la nature est ici authentique et grandiose. Le sentier s'achève au « bout du monde », où naît le Giffre, au pied des glaciers du Ruan et du Prazon. Ces lieux sont à découvrir également l'hiver : avec des raquettes ou en traîneau, Sixt-Fer-à-Cheval reste une aventure oxygénante exceptionnelle. Ne quittez pas la vallée de Samoëns sans voir la spectaculaire double-cascade du Rouget : ses eaux écumeuses s'étalent tel un voile de mariée. Un véritable joyau d'eaux vives…

Fonds marins à leur origine, les murailles rocheuses qui dominent ce cirque ont été soulevées par la surrection des Alpes pendant l'ère tertiaire et offrent aujourd'hui un paysage grandiose.

· SITUATION ·
A Lovagny, à 10 km à l'ouest d'Annecy.

· ACCÈS ·
Par l'autoroute A 41, sortie Annecy sud (16), direction Thônes
D 909 longeant le lac – D 909a vers Talloires.

Ouverture du 15 mars au 15 octobre.

· CHEMINS BALISÉS ·
Site aménagé de passerelles, accessible à tous.
Prévoir 1 heure de visite au minimum.

RHÔNE-ALPES – HAUTE-SAVOIE 74

GORGES DU FIER

Les vertigineuses gorges du lac d'Annecy

Un gigantesque labyrinthe de rochers à-pic
qui s'élèvent à 70 mètres au-dessus
des eaux transparentes du Fier.

Sur la commune de Lovagny, peu après le château de Montrottier, des passerelles accrochées aux falaises de 70 mètres de hauteur dominent le Fier grondant 20 mètres plus bas. A l'intérieur de cette déchirure, on découvre d'innombrables marmites de géants, creusées par la persévérance millénaire de la rivière. A peine visible en surface, cette longue crevasse a longtemps apeuré les habitants de Lovagny ; des animaux y disparaissaient régulièrement et parfois même des hommes, si l'on en croit la mésaventure du Petit Page, précipité dans l'abîme par son maître.

Après votre passage dans le Détroit, dans le Vestibule puis dans l'impressionnant Corridor, vous découvrirez un vaste lapiaz aux formes tourmentées. Cette mer de rochers est parcourue par le Fier comme un véritable labyrinthe.

En des temps où le rationnel n'avait pas encore pris le pas sur l'imaginaire, on attribua aux conquérants romains la percée des gorges. Ces dernières auraient permis l'évacuation du grand lac qui recouvrait la plaine des Fins. En réalité, les gorges du Fier, tout comme la cascade d'Angon, ont mis bien plus longtemps qu'une vie de légionnaire pour s'édifier, puisqu'elles se sont formées centimètre par centimètre sous le joug du torrent, qui les découpe, les ponce et les lustre depuis des milliers d'années.

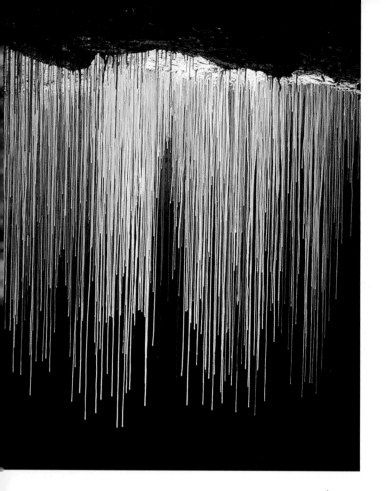

· SITUATION ·
A Choranche, à 50 km au sud-ouest
de Grenoble.

———

· ACCÈS ·
Par la N 532 au nord de Grenoble,
direction Tournon – Valence
D 531, direction Pont-en-Royans jusqu'à Choranche.

———

Ouvert toute l'année.

· CHEMINS BALISÉS ·
Visite guidée de la grotte, sentiers en accès libre
dans le cirque de Choranche. Prévoir 45 minutes
de visite et jusqu'à 1 heure de randonnée dans le cirque.

RHÔNE-ALPES – ISÈRE 38

GROTTE DE CHORANCHE
Tout simplement éblouissante

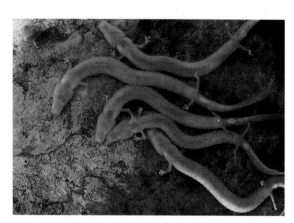

Un site qui permet une double visite :
à l'extérieur, un cirque somptueux, à l'intérieur,
des stalactites illuminés qui se reflètent dans l'eau
du lac souterrain.

Parce que le spectacle est aussi beau à l'intérieur qu'à l'extérieur, l'endroit est tout simplement grandiose. Vous pourrez vous promener librement dans le cirque au pied des hautes falaises de Presles puis vous offrir la visite de l'une des plus belles grottes de France. Les sentiers aménagés qui serpentent à travers buis permettent d'aller admirer la très belle cascade de tufs et la grotte du Gournier qui abrite un lac d'une longueur de 50 mètres. Au cœur de cet amphithéâtre, ce ne sont pas moins de quatre grottes qui ont été découvertes par les habitants du petit village de Choranche, niché au creux de la vallée. Une seule peut se visiter, celle de Coufin, mais c'est la plus exquise. Son entrée se situe sous un porche rocheux ayant jadis servi de refuge aux chasseurs du paléolithique. Quelle surprise lorsqu'on arrive dans cette vaste salle de 60 mètres de diamètre et 18 mètres de hauteur ! Un lac émeraude d'une profondeur moyenne de 2 mètres reflète des milliers de fines stalactites. Ce sont les fameuses fistuleuses, toutes fines stalactites, qui confèrent à la grotte son ambiance féerique et son prestige international. Après un demi-tour obligé et le passage dans la galerie Serpentine, la visite aboutit dans la salle de la Cathédrale, véritable nef souterraine admirablement mise en valeur par un spectacle son et lumière.

· SITUATION ·
A Chamrousse, à 22 km de Grenoble.

· ACCÈS ·
Par l'autoroute A 51, sortie Échirolles (5)
Rocade grenobloise (N 67), sortie Chamrousse (2).

Visite libre toute l'année.

· CHEMINS BALISÉS ·
Itinéraire fléché, marquage orange. Randonnée de montagne
accessible à tous. Prévoir 2 heures aller.

RHÔNE-ALPES – ISÈRE 38

LAC ACHARD
Miroir des cieux

C'est à 1 917 mètres d'altitude que trône ce somptueux lac de montagne qui a la particularité d'être encore entouré d'arbres ; les pins à crochets qui s'y sont réinstallés, au milieu des cembros et des sylvestres, donnent à l'endroit un charme unique. Au milieu d'une végétation colorée, ces eaux calmes se font le miroir d'une nature authentique.

La forme même du lac est un ravissement : au centre, les rives se rapprochent et deux pins, perchés sur les rochers, se transforment en gardiens du passage. Le tour du lac s'effectue en une trentaine de minutes et permet de profiter au mieux de ce cadre exceptionnel en s'émerveillant des reflets de la montagne du Petit Taillefer dans ses eaux sombres. Les plus courageux pourront poursuivre la randonnée vers le nord-est et rejoindre le col puis les quatre lacs de l'Infernet.

Mis en place dans une vallée en U creusée par les glaciers du quaternaire, le lac Achard a discrètement été renforcé de main d'homme. Il n'est alimenté que par les précipitations. Son exposition plein sud et sa basse altitude réchauffent ses eaux à une température permettant la baignade.

Pour prendre un second bain de nature, la réserve naturelle du lac Luitel, sur la D 111 en redescendant vers Uriage-les-Bains, est un authentique paradis sauvage. C'est un fantastique lac-tourbière où foisonnent mille espèces végétales.

Par beau temps, ce lac de montagne se transforme en un gigantesque miroir dans lequel se reflètent les arbres qui peuplent encore ses rives.

LAPIAZ DU DÉSERT DE PLATÉ

Le plus beau champ de lapiaz de France

Un désert de rochers si géométriques qu'ils semblent avoir été taillés par l'homme pour concurrencer les plus beaux glaciers.

Dès la descente du téléphérique, les premiers lapiaz offrent un spectacle aussi grandiose qu'inhabituel. De la roche à perte de vue, un désert minéral entaillé de si nombreuses crevasses que l'on se croirait sur un glacier. D'ailleurs, la neige n'est jamais bien loin et, même en été, quelques névés subsistent de part en part. Ici, la pierre travaillée par le gel prend des formes géométriques de toute beauté, mais gare à celui qui trébucherait car les arêtes sont de véritables rasoirs. Le massif du Mont-Blanc, de l'autre côté de la vallée, est une toile de fond qui ne fait qu'ajouter au prestige du désert de Platé. Comme toutes les randonnées en montagne, la marche sur le plateau demande quelques précautions : être bien chaussé à cause des lapiaz tranchants, se munir d'eau et surveiller les conditions météorologiques (les orages sont dangereux).

Lapiaz est issu du latin *lapis* qui désigne la pierre. De nos jours, c'est le nom que l'on donne à ces sculptures rocheuses aux formes caractéristiques dues au ruissellement incessant des eaux sous les glaciers. Comme par effet de mimétisme, on retrouve dans ces paysages les formes typiques des glaciers : crevasses, gouttières et pointes acérées.

· SITUATION ·
A Flaine, à 28 km à l'est de Cluses.

· ACCÈS ·
Par l'autoroute A 40, sortie Cluses (19)
puis rejoindre la station de Flaine 1600
Téléphérique des Grandes Platières.

Ouvert toute l'année.

· CHEMINS BALISÉS ·
Pas de balisage. Attention aux crevasses
et aux roches tranchantes. Prévoir 20 minutes
de montée par le téléphérique ou 3 heures
à pied ; 1 heure sur les lapiaz.

· SITUATION ·
A 5 km de Clelles, à 43 km de Grenoble.

· ACCÈS ·
Par la N 75 depuis Grenoble jusqu'à Clelles
D 7 vers Chichilianne – D 7b vers La Richardière.

Visite libre toute l'année.

· CHEMINS BALISÉS ·
Sentier bien tracé qui fait le tour complet
du lac en 6 heures (réservé aux bons randonneurs).
Pour notre itinéraire, accessible à tous, prévoir 1 heure.

RHÔNE-ALPES – ISÈRE 38

MONT AIGUILLE
Une des merveilles du Dauphiné

Cette forteresse rocheuse aux allures de navire semble avoir été déposée au sommet d'une montagne de verdure tant elle se détache du paysage qui l'entoure.

Depuis la route de montagne grenobloise, il vous faudra naviguer à vue en vous rapprochant le plus possible de l'imposant Mont Aiguille que l'on aperçoit de très loin. Sur les hauteurs du hameau de La Richardière, la vue est imprenable sur cette merveille qui culmine à 2086 mètres d'altitude, soit 900 mètres au-dessus de la campagne. Les prairies, couvertes de colchiques aux teintes pastel, baignent le mont dans une douceur printanière. Au vu de ses dimensions, le site pourrait sembler insondable, mais il est pourtant possible d'en faire le tour en 6 heures, par les cols de l'Aupet, des Pellas, de Papavet et par le hameau de Trésannes. A la fois massif et d'une grande élégance, il est séduisant, surtout quand on observe sa face sud-est aux allures de navire gargantuesque. Seuls les plus sportifs pourront tenter d'escalader la voie « normale » équipée de chaînes, et rejoindre en champions le sommet.

Agulle (Aiguille), *Mons Inascensibilis* (Mont Inaccessible), *Rupem Mirabilem* (Rocher Admirable), autant de qualificatifs qui désignaient autrefois cette septième merveille du Dauphiné. Elle est constituée d'une épaisse couche tabulaire de calcaire rigide de plusieurs centaines de mètres d'épaisseur, déposée dans une mer peu profonde du crétacé (-119 millions d'années) sur une aire récifale en mouvement.

· SITUATION ·

A Vallon-Pont-d'Arc, à 30 km
au sud d'Aubenas.

———

· ACCÈS ·

Par la D 104 depuis Aubenas
D 579 et D 1, direction Vallon-Pont-d'Arc,
suivre « Gorges de l'Ardèche ».

———

Visite libre toute l'année.

———

· CHEMINS BALISÉS ·

Le site est visible depuis la route.
Prévoir 10 minutes aller. Attention au vol
dans les voitures.

PONT D'ARC

Une arche grandiose

Une seule route parcourt les gorges de l'Ardèche : la confrontation avec cette formidable arche naturelle est donc inéluctable. Bien que la beauté soit le maître mot sur la totalité des gorges, Dame Nature touche ici au sublime ; le roc enjambe l'Ardèche en un pont de 59 mètres de large et 34 mètres de haut. Ce pont est l'unique relique de l'ancien boyau par lequel s'écoulait souterrainement la rivière il y a une quinzaine de millions d'années.

Il est possible de rejoindre le pied de l'arche par un petit chemin situé à 150 mètres du belvédère routier. Il permet d'accéder à la plage et d'atteindre la roche. Érigée au beau milieu d'un méandre, elle est considérée comme « la porte majestueuse qui ouvre l'entrée des gorges » (Abbé Bauron, 1889). La seule ombre au tableau, c'est que les gorges de l'Ardèche souffrent de trop de notoriété, et ce prestigieux canyon est malheureusement noir de monde en plein été. Pour ne pas être déçu dans un endroit aussi splendide, nous vous conseillons donc d'éviter autant que possible cette période.

Bien qu'emblématique, le Pont d'Arc est loin d'être la seule merveille des gorges. Pour pouvoir les parcourir dans des conditions privilégiées, nous vous conseillons de faire la randonnée des Gourniers, qui déambule au fil de l'eau sur le karst ardéchois.

Le travail de l'eau au fil des millénaires nous offre une fois encore un paysage superbe dans lequel figuiers, amandiers et oliviers éclairent de leurs couleurs lumineuses cette arche étonnante.

INDEX DES SITES

TABLE DES MATIÈRES PAR RÉGIONS

© Arthaud, Paris, 2000

Éditions du Club France Loisirs, Paris
avec l'autorisation des Éditions Arthaud.
Éditions France Loisirs,
123, boulevard de Grenelle, Paris
www. franceloisirs. com

Conception graphique et maquette:
Axel Buret, studio de création Flammarion.

Toutes les photos out été réalisées sur
pellicules Fujichrome et matériel Minolta.

ISBN : 2-7441-4324-3
Dépôt légal : janvier 2001

Imprimé en Italie
par N.I.I.A.G.

Achevé d'imprimer en janvier 2001
N° d'édition : 34505